Arrêté le 15 octobre 1894,
le capitaine Dreyfus a été condamné le 22 décembre
pour trahison en faveur de l'Allemagne
et déporté à l'île du Diable, au large de Cayenne.
Après un long silence,
les preuves de son innocence s'accumulant,
s'ouvre enfin, le 7 août 1899,
au lycée de Rennes, le second procès Dreyfus...

Pierre Birnbaum est professeur à l'université Paris-I et membre de l'Institut universitaire de France. Il a publié notamment *La Fin du politique* (Le Seuil, 1975), *Les sommets de l'Etat*, Le Seuil, 1977), *Sociologie de l'Etat*, avec Bertrand Badie (Grasset, 1979), *Le Peuple et les Gros* (Grasset, 1979), *Un mythe politique : «La République juive»* (Fayard, 1988), *Les fous de la République*, (Fayard, 1992), *«La France aux Français».Histoire des haines nationalistes* (Le Seuil, 1993). Il a dirigé la publication de *La France de l'Affaire Dreyfus* (Gallimard, 1994).

Pour Joseph,
entre éthique et Etat.

Dépôt légal : mai 1994
Numéro d'édition : 67847
ISBN : 2-07-053277-1
Imprimerie Kapp Lahure
Jombart, à Evreux

L'AFFAIRE DREYFUS

LA RÉPUBLIQUE EN PÉRIL

Pierre Birnbaum

28 - PROCÈS DE RENNES

ENTRÉE DU PUBLIC AU CONSEIL DE GUERRE (6 H. DU MATIN)

DÉCOUVERTES GALLIMARD
HISTOIRE

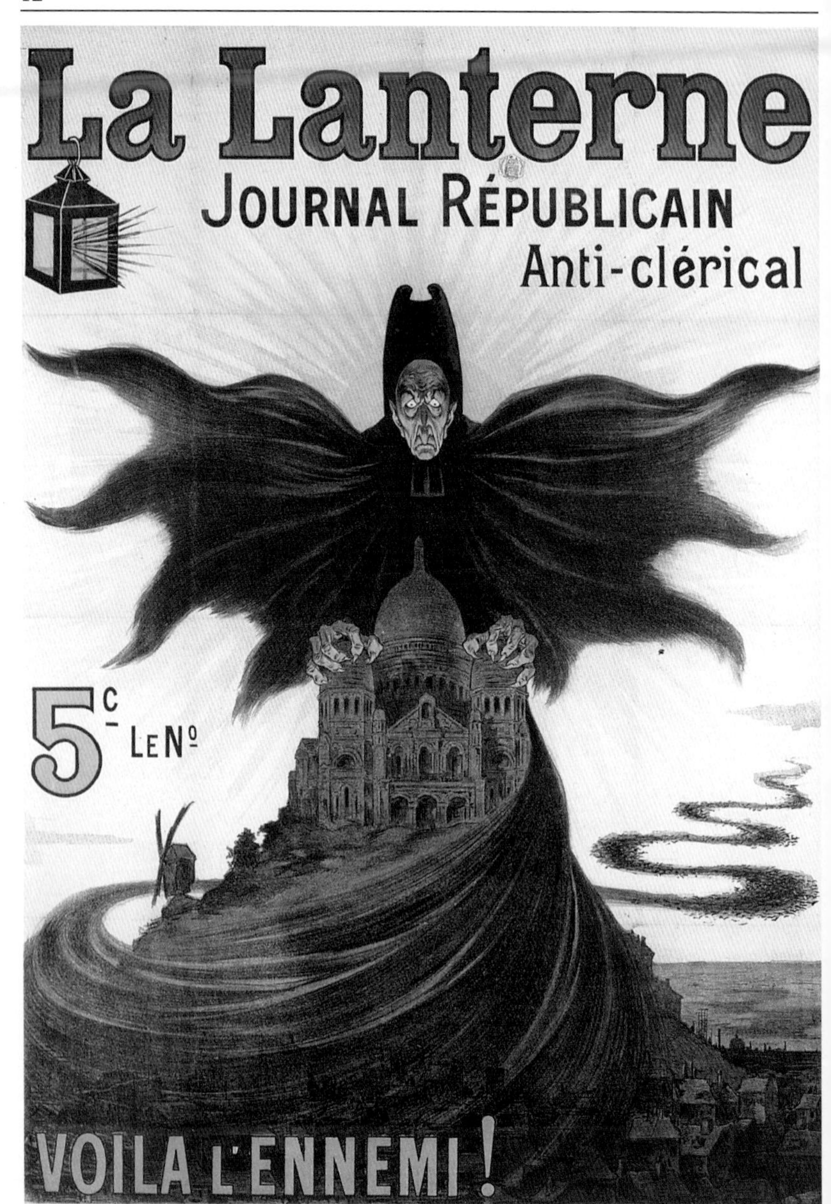
La Lanterne
Journal Républicain
Anti-clérical
5c le No
VOILA L'ENNEMI !

Un siècle après la Révolution française, l'affaire Dreyfus constitue l'une des grandes déchirures qui menacent de rompre le corps social. A travers elle, se font encore entendre les dures querelles qui marquent la fin de l'Ancien Régime et la naissance d'un citoyen nouveau. Elle annonce aussi les affrontements idéologiques de notre époque.

CHAPITRE PREMIER
LA MISE EN SCÈNE

Au tournant du siècle, la république voit son ordre contesté. Les attentats anarchistes l'inquiètent. Son ennemi principal n'en est pas moins l'Eglise. En juin 1891, on inaugure le Sacré-Cœur. Son ombre est le symbole menaçant du pouvoir clérical. Tout au long de l'Affaire, nombre d'affrontements auront lieu à ses portes.

SOCIETE

ANNIVERSAIRE

AFFAIRE DREYFUS: LA LEÇON D'HISTOIRE DOUTEUSE DE L'ARMEE

L'hebdomadaire «Sirpa actualités» du ministère de la Défense publie un dossier sur l'affaire qui déchira l'opinion française il y a cent ans. Outre une accumulation de mensonges, ce texte «caricatural» selon l'avocat-écrivain Jean-Denis Bredin «traduit la persistance de la vieille mentalité antidreyfusarde».

CHRONOLOGIE
Douze ans pour une réhabilitation

La mémoire trouble

La mémoire de l'Affaire marque l'histoire de la France contemporaine. L'écho du bruit et de la fureur qu'elle a suscités persiste même jusqu'à nos jours tant demeure encore profonde la déchirure. Sans y prendre garde, voilà qu'elle réapparaît soudain : on l'évoque ici à l'occasion d'un procès où la justice semble particulièrement bafouée, on s'y réfère là quand face à une cause perdue on voit s'engager des intellectuels intrépides. Et, dans la France d'aujourd'hui, elle provoque toujours bien des émois, menant par exemple, l'année même de la célébration du centenaire, à la brusque révocation d'un colonel responsable des archives militaires dont les propos officiels par trop sibyllins font douter de l'innocence du capitaine Dreyfus.

Elle suscite enfin un affrontement feutré entre un ministre de la culture socialiste souhaitant que la statue du capitaine martyr figure sur les lieux mêmes de son injuste dégradation, dans la célèbre cour de l'Ecole militaire, et un ministre des armées tout aussi socialiste s'opposant, avec la dernière vigueur, à cet acte réparateur. Et la statue du proscrit de l'île du Diable de se trouver reléguée loin des regards, près d'une allée peu fréquentée du jardin des Tuileries. D'après un rapport officiel récent, «le syndrome Dreyfus» atteint toujours les grandes écoles militaires comme Saint-Cyr-Coëtquidan. C'est dire combien

En février 1994, le ministre de la défense limoge le colonel Gaujeac, l'officier responsable du service historique de l'armée de terre. La raison : un rapport sur l'affaire Dreyfus qui se terminait par cette phrase malheureuse : «Aujourd'hui l'innocence de Dreyfus est la thèse généralement admise par les historiens.»

Une nouvelle victime de l'affaire Dreyfus

Limogeage du colonel Gaujac

Il n'avait pas observé la vérité officielle

Plusieurs historiens soulignent les bévues du rapport. La presse s'en mêle. Prenant le contrepied de *Libération*, *Présent*, ainsi que d'autres journaux de la mouvance nationaliste, se précipite au secours du colonel limogé.

l'Affaire demeure un sujet sensible : près de 70 % des Français estiment même que ses leçons restent d'actualité. En craint-on encore les effets ? Alors que, de plus en plus, un véritable culte de la mémoire paraît devoir s'instaurer, sanctifiant les grands événements du passé, nulle cérémonie officielle n'est cette fois prévue pour donner un lustre particulier à la célébration de son centenaire.

Le rejet de la république émancipatrice

Par un raccourci saisissant et déformant, l'Affaire paraît prolonger la rupture initiale de 1789 et annoncer, par-delà la Grande Guerre de 1914-1918 qui vit les cœurs se souder dans un même élan patriotique, les années noires, celles de Vichy, dont les cicatrices sont encore loin d'être effacées. Aux yeux d'une histoire pusillanime, on ne saurait certes rabattre ainsi un événement sur l'autre, rapprocher des enjeux aussi divers, établir un lien entre des périodes si éloignées les unes des autres. Tout y incite pourtant. La signification de l'Affaire est là, dans la brutale remise en question de l'émancipation des Juifs de France acquise précisément en 1791,

Cette statue d'un Dreyfus au sabre brisé réalisée par Tim demeura deux ans dans la fonderie du sculpteur avant d'être inaugurée, le 9 juin 1988, dans le jardin des Tuileries. Les statues de Léon Blum et Pierre Mendès France, deux autres Juifs qui furent aussi au cœur de guerres franco-françaises, eurent du mal à trouver leur place. Celle de Léon Blum, après un séjour aux Tuileries, se trouve logiquement place Léon-Blum, dans le XIe arrondissement de Paris. Celle de Pierre Mendès France, après bien des polémiques, est au jardin du Luxembourg.

LOI

Relative aux Juifs.

Donnée à Paris, le 13 Novembre 1791.

LOUIS, par la grâce de Dieu & par la Loi constitutionnelle de l'État, ROI DES FRANÇOIS : A tous présens & à venir ; SALUT.

L'ASSEMBLÉE NATIONALE a décrété, & Nous voulons & ordonnons ce qui suit :

DÉCRET DE L'ASSEMBLÉE NATIONALE, du 27 Septembre 1791.

L'ASSEMBLÉE NATIONALE considérant que les conditions nécessaires pour être citoyen François & pour devenir citoyen actif, sont fixées par la Constitution, & que tout homme qui réunissant lesdites conditions, prête le serment civique & s'engage à remplir tous les devoirs que la Constitution impose, a droit à tous les avantages qu'elle assure ;

Révoque tous ajournemens, réserves & exceptions insérés dans les précédens Décrets relativement aux individus Juifs qui prêteront le serment civique, qui sera regardé comme une renonciation à tous privilèges & exceptions introduits précédemment en leur faveur.

En dépit de violentes résistances internes, l'Assemblée nationale, sous l'influence de l'abbé Grégoire et avec l'appui de Robespierre, émancipe les Juifs en 1791, peu après les protestants. Selon le comte de Clermont-Tonnerre, «il faut tout refuser aux Juifs comme Nation...et accorder tout aux Juifs comme individus». L'émancipation doit mener à l'assimilation. Les Juifs, dans leur ensemble, accueillent cette loi comme une libération, une nouvelle sortie d'Egypte. Cette «régénération» les transforme en citoyens égaux à tous les autres.

dans l'élan des passions révolutionnaires libératrices, dans l'audacieuse reconnaissance de l'indispensable égalité de tous les citoyens. Passé de gauche à droite, le nationalisme entend dénoncer cette tradition politique, à ses yeux aberrante. Quelle meilleure preuve avancer que celle de la trahison d'un officier juif de l'état-major illustrant à elle seule l'illégitimité d'un ordre républicain si peu attentif à défendre l'intérêt national ? Que l'urgente régénération de la France passe par l'abandon de l'ordre républicain et par l'expulsion des Juifs, le régime de Vichy voudra, plus tard, en donner la preuve.

Les deux France

Immergée dans le temps long de l'histoire de la France, l'Affaire en est donc un symbole clé : elle fait de suite resurgir les guerres permanentes que se livrent les deux France, soucieuses d'imposer, l'une et l'autre, au nom de la tradition ou encore de la raison, leur propre conception de l'identité nationale. Le moment Dreyfus met en péril l'acquis révolutionnaire, la nation à la française, modèle universaliste imaginé par les hommes de 1789 et prolongé plus tard, sous la IIIe République, par ceux qui entourent Gambetta. La nation de citoyens égaux dont rêvent les révolutionnaires ne veut plus connaître de différences de classe, de religion ou encore de culture qui éloignent les citoyens les uns des autres et rendent vaine leur fraternisation. La nouvelle communauté politique se veut à l'image de la Déclaration des droits de l'homme et du citoyen, tournée vers l'universalisme et rejetant, au nom de la raison et de la science, le poids du passé tout comme le rôle traditionnel de l'Eglise catholique. Ce modèle, à travers bien des vicissitudes, a finalement survécu en orientant à nouveau, de Gambetta à Jules Ferry, les nouveaux combats des héritiers de 1789. Il rencontre toutefois maintenant l'opposition résolue des mouvements nationalistes.

Cette réunion dans le bureau du journal *La République française* rassemble, autour de Gambetta, le fondateur de la IIIe République, deux des personnages essentiels de l'Affaire. Joseph Reinach (le deuxième à partir de la gauche) dirige ce journal depuis 1876 : secrétaire du gouvernement Gambetta, il est l'un des premiers dreyfusards et sera aussi l'historien de l'Affaire. Devenu président du Conseil en 1899, Waldeck-Rousseau (le deuxième à partir de la droite), mettra un terme à l'Affaire, obtiendra la grâce de Dreyfus et imposera l'ordre républicain en arrêtant les chefs nationalistes.

Ceux-ci se réclament d'un tout autre modèle identitaire fondé sur l'appartenance ethnique. On réhabilite la race afin de mieux ré-enraciner une nation expurgée de ses éléments étrangers.

La laïcisation combattue

Dans ce contexte tendu, la laïcisation revient à l'ordre du jour. Elle va être mise en œuvre par un nouveau personnel politique composé d'avocats, de journalistes ou d'enseignants, athées ou déistes, prenant la place des grands notables catholiques conservateurs hostiles à ce chamboulement idéologique. L'épuration républicaine rejette hors de l'Etat ces anciennes élites. Les Français paraissent rejouer les fêtes révolutionnaires d'autrefois : les affrontements se multiplient d'autant plus que les masses font leur entrée dans l'espace public.

La république absolue suscite dès lors un rejet tout aussi extrême. La bataille scolaire, qui oblige l'Eglise

L'école est le lieu d'affrontement par excellence. Les bataillons de «hussards noirs» de la république, pourvus de leurs nouveaux manuels, y sont envoyés. Leur rôle est déterminant : façonner le Bon Citoyen acquis aux Lumières et à la civilité républicaine. L'école devient laïque, donc coupée de l'Eglise, obligatoire et, bientôt, gratuite (ci-dessous, une peinture de 1889).

à abandonner sa place forte, tout comme la création d'un enseignement secondaire public des jeunes filles apparaissent comme des coups incompréhensibles. L'école laïque, obligatoire et gratuite incarne à elle seule la république. Elle mène à une vision unitaire de la nation donnant la prééminence à l'instituteur sur le curé, rejetant l'enseignement religieux hors des locaux scolaires où se diffuse au contraire une morale civique favorable au positivisme. La laïcisation des cimetières et celle des hôpitaux, le retrait des crucifix des prétoires, la loi sur le divorce apparaissent, dans les années 1880, comme autant d'atteintes insupportables à l'identité catholique de la France, au moment même où l'appareil clérical n'a jamais été aussi puissant depuis un siècle. Le monde catholique s'appuie sur plus de deux cent vingt mille permanents. Les religieuses sont trois fois plus nombreuses qu'à la veille de la Révolution. Le réveil religieux est indéniable. Les pèlerinages à Lourdes ou au Mont-Saint-Michel gagnent sans cesse en ampleur, attirant des foules acquises au culte de la Vierge ou du Sacré Cœur.

Les représentants de l'Etat venus ôter les crucifix des écoles se heurtent souvent à de vigoureuses protestations, en particulier dans l'Ouest. Le ministère de l'intérieur saisit le prétexte, par exemple, de travaux de réfection.

Décadence et irrationalisme

Ce retour au sacré témoigne du refus d'une modernité scientifique aux progrès vertigineux ébranlant les modes de vie et les certitudes du passé. Il s'alimente à une forte poussée d'irrationalisme qu'illustrent aussi bien les analyses d'un Gustave Le Bon sur la folie des foules considérées comme des masses hystériques que celles du docteur Charcot sur le somnambulisme. Le célèbre professeur de la Salpêtrière n'hésite pas, sous le regard bienveillant de Drumont, l'auteur de *La France juive* (1886), pamphlet antisémite vendu à plusieurs centaines de milliers d'exemplaires, à désigner les Juifs comme responsables des ravages provoqués par les différentes formes de nervosité, pathologie à ses yeux proprement juive. La France rurale et catholique se

voit remplacée par une France urbaine et positiviste qui serait porteuse d'anomie, de désorganisation sociale et, donc, de décadence.

La montée de la criminalité accroît l'inquiétude tandis que grondent et menacent les attentats anarchistes. Le début des années 1890, c'est aussi le temps de Ravachol et de Vaillant, celui des bombes aveugles dans les restaurants et les hôtels de Paris. Le thème de la décadence, diffusé par Maurice Barrès comme par Paul Bourget et tant d'autres auteurs à succès, l'emporte désormais dans les esprits. Il traduit un grand pessimisme devant un dérèglement des normes collectives dont serait responsable cette république si favorable à l'individualisme et portant atteinte aux hiérarchies en brisant la vitalité même de la nation française, en touchant dès lors son énergie ainsi que sa volonté. Contre les idéaux rationalistes s'impose un tournant mystique, un retour au sens du mystère et de la foi. Contre le déracinement et l'immoralisme, une indispensable et urgente régénération de la France catholique d'autrefois se fait sentir. Elle suppose l'élimination des ennemis de l'intérieur qui la pervertissent afin de faciliter aussi la tâche de leur maître allemand, soucieux de conserver les bénéfices de sa victoire écrasante de 1870.

Dans l'Europe de cette fin de siècle s'élève un même cri contre la décadence. Le libéralisme menacerait les traditions, la nation perdrait son énergie et son âme. En Allemagne, autour de Wagner, Treitschke, ou, par certains aspects, Nietzsche, tout comme en France, à partir de Taine, Le Bon, Drumont (en haut à gauche) et Barrès, on redoute la montée des foules irrationnelles porteuses de criminalité (ci-dessus, manifestation d'anarchistes). La démocratie et le suffrage universel sont eux aussi mis en accusation car ils détruiraient les élites naturelles. Le retour au religieux (à gauche, une procession à Lourdes) apparaît au contraire comme un recours ultime contre l'ère des masses.

La décennie de tous les dangers

Cette fin de siècle est donc propice à l'affrontement entre des imaginaires politiques contraires. Or, au même moment éclatent de violentes grèves, comme celle de Decazeville, à travers lesquelles la classe ouvrière rejette l'ordre dominant. Dans toute la France, des troubles, des émeutes font craindre le pire. De plus en plus fréquemment se fait entendre *L'Internationale*. Le mouvement socialiste prend forme. Il attaque de plein fouet le personnel «opportuniste» républicain, modéré et lié au milieu des affaires. Le libéralisme économique dominant confère un rôle décisif à la haute banque et nombre de scandales économiques éclatent tels le krach de l'Union générale, importante banque catholique, ou encore et surtout, le scandale du canal de Panamá révélant l'affairisme du personnel politique et l'ampleur de la corruption des députés «chéquards» rémunérés secrètement par la Compagnie. A la fin des années 1880, la soudaine mobilisation boulangiste en faveur de la révision des lois constitutionnelles remporte coup sur coup plusieurs succès électoraux. Elle regroupe, au sein d'un fort mouvement populiste, anciens partisans de la Commune, électeurs radicaux mais aussi électeurs catholiques conservateurs, peu favorables au ralliement au nouveau régime prôné par le pape, et adeptes de l'antisémitisme dans un commun rejet de la république modérée. Boulangistes et nationalistes de tous bords partent à l'assaut de la république trop

La République aux traits sémites et revêtue d'insignes francs-maçons corrompt un personnel politique adorant désormais le dieu Argent. Des centaines de députés sont achetés par la Compagnie de Panamá (ci-dessus, une action). Les hauts fonctionnaires eux-mêmes perdent le sens de l'Etat. Les pots-de-vin coulent à flot. Le baron de Reinach, beau-père de Joseph Reinach, se suicide. Bien qu'il ne soit en rien compromis, celui-ci est atteint indirectement par le scandale de Panamá. On s'en souviendra pendant l'Affaire. Le mythe de la «république juive» est né. A gauche, le général Boulanger.

2e Année. — N° 70 | Paris et Départements, le Numéro CINQ Centimes | Samedi 10 Novembre 1894

LA LIBRE PAROLE

ILLUSTRÉE

La France aux Français!

RÉDACTION 14, Boulevard Montmartre | Directeur : ÉDOUARD DRUMONT | ADMINISTRATION 14, Boulevard Montmartre

A propos de Judas Dreyfus

— Français, voilà huit années que je vous le répète chaque jour !!!

ouverte aux Juifs et aux protestants, appuyés dans leur entreprise par une partie non négligeable du mouvement socialiste partageant, dans la lignée de Fourier, Proudhon ou Toussenel, cette vision antisémite du monde.

Une espionnite aiguë

La crainte de l'Allemagne exaspère aussi les tensions : une espionnite constante sévit, avivée par l'arrestation d'espions à la solde de l'ennemi d'outre-

Depuis 1886, date de la parution de *La France juive*, best-seller de l'époque et vendu jusqu'au plus profond des campagnes, Drumont répète chaque jour les mêmes accusations. Le journal *La Croix*, qui s'auto-proclame «le plus anti-juif de France», tout comme ses multiples éditions locales, soutient avec enthousiasme la diffusion de ce brûlot. Drumont combine l'antisémitisme chrétien traditionnel avec l'anticapitalisme et le racisme biologique. A ses yeux, «le seul auquel la Révolution ait profité est le Juif. Tout vient du Juif. Tout revient au Juif». Ses descriptions physiologiques vont faire école : d'après lui, on reconnaît le Juif à «ce fameux nez recourbé, les yeux clignotants, les dents serrées, les oreilles saillantes, les ongles carrés, le pied plat, les genoux ronds, la cheville extraordinairement en dehors, la main moelleuse, un bras souvent plus court que l'autre». En un mot, «ces gens n'ont vraiment pas le cerveau conformé comme nous». Le thème de la trahison naturelle n'est pas loin.

Rhin. En 1892, Drumont lance une campagne de dénonciation de la présence d'officiers juifs au sein de l'armée française, désignés comme autant d'espions en puissance, remettant ainsi ouvertement en question la tradition française républicaine d'égalité de tous les citoyens. Les Juifs apparaissent comme l'ennemi de la France éternelle : ils la trahissent de l'intérieur de l'Etat républicain. Les duels entre capitaines juifs et antisémites se succèdent dans une violence chaque jour plus grande : celui qui se termine tragiquement par la mort du capitaine Armand Mayer, un polytechnicien, suscite une émotion immense. Freycinet, ministre de la guerre, condamne ces «préjugés dont la Révolution française a fait depuis longtemps justice». «Nous ne connaissons, souligne-t-il encore, que des officiers français.»

Le répit sera de courte durée : année après année, Drumont, véritable inventeur de l'antisémitisme contemporain, s'en prend à tous les Dreyfus de la société française, les dénonçant nommément dans son brûlot quotidien, *La Libre Parole*, à ses lecteurs innombrables et passionnés. En septembre 1893, ce même journal relate longuement le duel opposant Drumont au député Camille Dreyfus. En avril 1894, il décrit encore avec force détails «le procès Dreyfus», celui mené contre un marchand de grains à l'échelle internationale. C'est toujours Drumont qui lance, le 1er novembre 1894, dans *La Libre Parole*, la véritable affaire Dreyfus. Alfred Dreyfus, cette fois, est une proie de choix.

Les officiers juifs participent aux multiples guerres, en particulier à celle de 1870, ou aux conquêtes coloniales. Ils font preuve d'un patriotisme farouche. Beaucoup d'entre eux meurent au combat. Pourtant, certains officiers approuvent Drumont lorsqu'il déclare : «Que seraient venus faire les Youtres dans [les] rangs [de l'armée]? Tirer des traites vaut mieux que tirer à la cible. Il existe chez l'immense majorité des militaires un sentiment de répulsion instinctive contre les fils d'Israël» (ci-dessous, un dessin sur l'antisémitisme dans l'armée).

HAUTE TRAHISON

Arrestation de l'Officier Juif A. Dreyfus

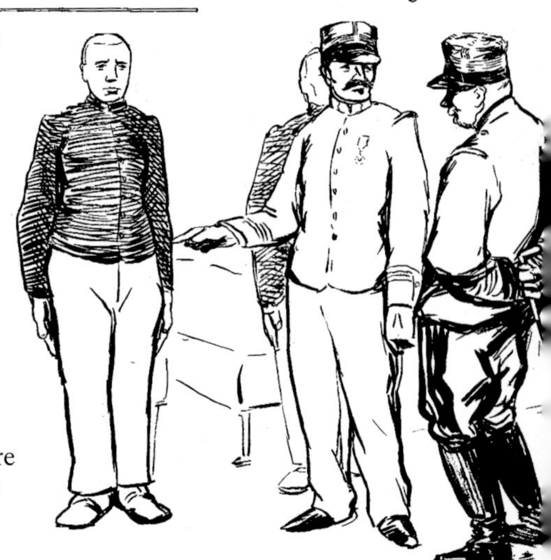

Musée des Horreurs
N° 6
le Traître!

Succédant au second Empire autoritaire et policier, la IIIe République souhaite faire triompher le droit. De nombreuses lois étendent les libertés individuelles et collectives. Pour les appliquer, le corps des magistrats est largement épuré. Le libéralisme demeure pourtant fragile : les atteintes aux droits individuels sont fréquentes, l'arbitraire règne dans la fonction publique et l'archaïsme de la justice militaire reste indéniable.

CHAPITRE II
UN PROCÈS EN SORCELLERIE

Le *Musée des Horreurs*, réalisé à la fin 1899, compte cinquante et une affiches caricaturant de manière féroce les hommes d'Etat ou les journalistes dreyfusards représentés avec des corps d'animaux : porcs, ânes, serpents, crapauds ou singes.

Lorsqu'il se rend au ministère de la guerre pour répondre à une convocation urgente et quelque peu inhabituelle, en ce lundi 15 octobre 1894, le capitaine Alfred Dreyfus est à cent lieues d'imaginer le coup de tonnerre qui va s'abattre sur lui. Officier d'élite issu des milieux juifs alsaciens si viscéralement attachés à la patrie, son histoire personnelle illustre à elle seule la longue saga des Juifs de France.

Devenu un industriel prospère, Raphaël Dreyfus, le père d'Alfred (ci-dessous avec son épouse), installe sa famille dans une belle demeure du quartier résidentiel de Mulhouse, rue de la Sinne (ci-dessus).

Son arrière-grand-père, Abraham Israël Dreÿfuss, de même que son grand-père, Jacob Dreÿfuss, et son propre père, Raphaël Dreyfus, sont nés à Rixheim, petit village alsacien situé non loin de Mulhouse, berceau d'un judaïsme traditionaliste et vivant dont l'histoire, depuis des siècles, se confond avec celle de la France. Petits colporteurs attachés à leurs croyances et confrontés, de temps à autre, à de violentes flambées antisémites, cette famille traverse cette longue période qui va d'une Révolution

française apportant l'émancipation au second Empire. Les lents progrès économiques poussent Raphaël Dreyfus, qui francise son nom, à s'installer à Mulhouse. Il tente à son tour l'aventure industrielle dans le domaine en pleine expansion du textile, se hissant peu à peu, lorsqu'il fonde sa propre filature de coton en 1862, au sein de la bourgeoisie locale, largement protestante. «La ville la plus française d'Alsace» compte alors un peu moins de deux mille Juifs, fidèles à leurs traditions, qui bénéficient pleinement des bienfaits d'une émancipation faisant d'eux des citoyens au sens plein du terme. Il n'empêche que même cet îlot préservé ne peut ignorer les troubles antisémites qui éclatent toujours de temps à autre dans les villages avoisinants et se traduisent par des chasses aux Juifs accompagnées de destructions de biens.

La saga familiale

C'est dans cet environnement néanmoins protégé que naît, en octobre 1859, Alfred, le benjamin d'une

Ecartelés entre leur fidélité irréductible à l'égard de la France et les liens qu'ils maintiennent avec leurs coreligionnaires d'Allemagne, les Juifs alsaciens qui sont demeurés sur place après la défaite de 1870 (ci-dessous le ghetto de Mulhouse à la fin du XIXe siècle) connaissent un destin difficile. Ils sont considérés par beaucoup, de part et d'autre de la frontière, comme des traîtres en puissance. Ils partent très nombreux, par crainte aussi d'être incorporés à l'armée allemande. Ainsi, à Metz, plus de mille Juifs sur deux mille cinq cents quittent la ville. A Paris, ils jouent un rôle important dans les organisations patriotiques tournées vers la revanche.

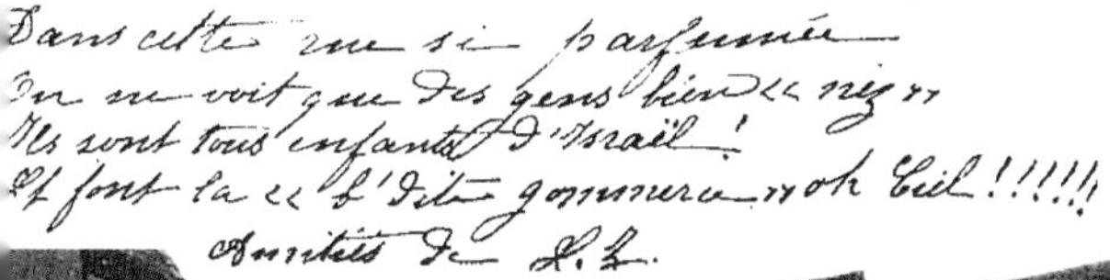

famille chaleureuse et particulièrement unie comptant neuf enfants. Raphaël Dreyfus et son épouse, Jeanne Liebmann, née à Ribeauvillé, petit bourg proche de Mulhouse, veillent sur eux. Attachée aux pratiques religieuses traditionnelles, la famille respecte les grandes fêtes ; les enfants apprennent l'hébreu, suffisamment pour que les garçons puissent passer leur *bar-mitzva*, cérémonie de confirmation faisant d'eux des hommes. La famille étant désormais aisée, Alfred, le dernier-né, ira le plus loin dans la voie de l'intégration : le petit «don Quichotte», tel qu'on le surnomme, va franchir toutes les étapes menant aux sommets de l'Etat.

Il a 11 ans lorsque survient la tragédie de la défaite de 1870. Mulhouse devient la plaque tournante des mouvements des troupes allemandes. De son balcon, il peut voir cinq mille soldats allemands faire leur entrée dans la ville. Jacques, le frère aîné, rejoint les troupes françaises rapidement écrasées. Dès les premiers jours de 1871, les provinces de l'Est sont entièrement conquises. Avec la défaite, elles passent, le 21 mai 1871, sous domination allemande, le traité

L'industriel mulhousien Jean Dolfuss jette sa croix de l'Empire, reçue avant guerre, sur la table d'un officier prussien en 1870 (ci-dessus).

de Francfort faisant de tous leurs habitants des sujets du Reich. La vie des Juifs en est bouleversée. Une forte proportion d'entre eux, par patriotisme, préfèrent quitter leur province natale afin de demeurer français, se dirigeant vers la capitale ou encore, vers d'autres provinces telle la Normandie.

Un destin tout tracé : préparer la revanche

Henriette, la sœur aînée d'Alfred – qui a joué un rôle si important dans son éducation – a épousé Joseph Valabrègue, appartenant à l'autre branche ancienne du judaïsme français, celle des «Juifs du pape». Elle s'installe donc à Carpentras. Toute la famille Dreyfus, qui opte pour la citoyenneté française, pourra ainsi y être domiciliée. Si Jacques reste à Mulhouse pour diriger l'usine, Alfred et son frère Mathieu partent pour Paris afin de préparer les concours scolaires, dans l'espoir aussi d'entrer, plus tard, dans les grandes écoles, voie royale vers l'intégration dans les élites de la nation. Mathieu décide finalement de ne pas se présenter à ces concours et retourne peu après au monde industriel.

Alfred, comme tant de jeunes Juifs depuis le début du XIXe siècle, passe le baccalauréat

La démocratisation du recrutement dans l'armée se révèle indispensable. Les militaires, comme les savants ou les hauts fonctionnaires, s'inspirent donc du voisin d'outre-Rhin : la formation du corps des officiers s'impose. Ceux-ci sortiront désormais de l'Ecole polytechnique (Alfred Dreyfus, ci-dessous, sur la photo de groupe de sa promotion, le premier assis à gauche) après avoir préparé leur concours d'entrée soit au collège jésuite de la rue des Postes (les «postards»), soit à Sainte-Barbe que fréquentent plus volontiers les élèves juifs (ci-dessous, Dreyfus à Sainte-Barbe, âgé de 14 ans).

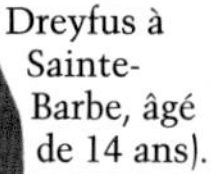

et réussit, en 1877, à être admis à l'Ecole polytechnique. Son patriotisme est extrême : il faut, dès à présent, préparer la revanche, rejoindre une armée qui se modernise, embrasser une carrière militaire tout entière vouée à la reconquête des provinces perdues. Tout naturellement, il se dirige vers l'artillerie, l'arme qui jouera un rôle décisif dans le futur affrontement inévitable. A la sortie de Polytechnique, il rejoint donc l'école d'application de l'artillerie de Fontainebleau. Après avoir servi dans divers régiments et révélé ses grandes qualités de soldat, il accède, en 1889, au rang de capitaine. Il décide de préparer, alors qu'il est affecté à l'école d'artillerie de Bourges, l'école supérieure de guerre, nouvelle

institution très prestigieuse créée par une IIIe République soucieuse de se doter rapidement d'officiers de grande valeur.

Il fait alors la connaissance de Lucie Hadamard, la sœur du capitaine Hadamard, polytechnicien affecté lui aussi à Bourges et qui est devenu son ami intime. Leur père est issu d'une famille juive de Metz, berceau du judaïsme français ; devenu négociant en diamants, il dispose d'une fortune importante. Alfred et Lucie se marient en avril 1890 à la grande synagogue de la rue de la Victoire : c'est le grand rabbin Zadoc Kahn qui officie. Personnage important, originaire lui aussi des provinces perdues, il va jouer un rôle éminent dans la célébration d'un franco-judaïsme patriote et militant.

La synagogue de la rue de la Victoire (à gauche), où Alfred Dreyfus épouse Lucie Hadamard (médaillon), en 1890 est le symbole du franco-judaïsme. Un an auparavant, la communauté juive, sous la présidence du grand rabbin Zadoc Kahn (à gauche), y a célébré le centenaire de la Révolution.

Une brillante carrière militaire

Tout sourit au jeune homme. A l'instar des nombreux capitaines ou colonels juifs engagés lors des combats de 1870 ou encore dans ceux que mène l'armée française pour sa conquête de l'Empire, il sait pouvoir gravir les échelons de la hiérarchie et peut espérer atteindre, comme d'autres avant lui, les grades les plus élevés. Dès 1870, Léopold Sée est devenu le premier général juif de l'armée française. Au moment même où l'Affaire éclatera, plusieurs généraux juifs sont en fonction. En revanche, à la même époque, on n'en trouve aucun en Allemagne, où la conversion est exigée, ni même dans les grandes démocraties anglo-saxonnes où les *establishments*

Alfred Dreyfus en uniforme d'officier et en «dandy».

L'«arche sainte» – l'armée – est l'objet d'un véritable culte national que célèbrent aussi les républicains ; c'est par le seul souci de préserver sa légitimité que certains préférèrent ignorer l'innocence du capitaine. Le nouveau système de promotion, copié sur l'Allemagne, provoque une autre cassure : aux hommes sortis du rang, ayant démontré leur bravoure sur le champ de bataille, on préfère les professionnels sortis de l'Ecole polytechnique ou encore de la toute nouvelle école supérieure de guerre, créée en 1890 sur le modèle de l'académie supérieure de Berlin. Le commandant du Paty de Clam, qui procède à l'épreuve de la dictée (ci-contre ; à droite, fac-similé du manuscrit) et aux interrogatoires musclés du polytechnicien Dreyfus, sort du rang. Certains officiers n'en seront pas moins dreyfusards : le commandant Forzinetti, directeur de la prison du Cherche-Midi, qui sera bientôt révoqué, le capitaine Picquart, le colonel Albert Jouaust, qui vote l'acquittement de Dreyfus à Rennes, le capitaine Targe ou encore le général Hippolyte Sebert.

protestants préservent leur contrôle absolu. Dans ce sens, l'Affaire ne peut se produire qu'en France : son caractère unique est à la mesure de la dimension exceptionnelle d'un Etat républicain ouvert à tous les citoyens.

Reçu à l'école supérieure de guerre, Dreyfus en sort neuvième sur quatre-vingt-un, ce qui lui permet d'accéder au saint des saints, l'état-major général de l'armée. Là aussi, il fait preuve de grandes qualités militaires. A l'automne 1893, son colonel le considère comme «un officier très intelligent qui a de vastes connaissances, veut et doit arriver». Tout paraît simple. Pourtant, le contexte violemment antisémite des années 1890 a déjà manqué de peu d'affecter sa carrière. Au grand étonnement d'Alfred Dreyfus, son classement de sortie de l'école de guerre a failli être remis en cause par un général membre du jury qui «ne voulait pas de Juifs à l'état-major» et a donc décidé de baisser ses notes. Osant protester officiellement, il demande au directeur de l'école «si un officier juif [n'est] pas capable de servir son pays aussi bien qu'un autre». Il obtient satisfaction et son respect de la méritocratie républicaine s'en trouve pour toujours renforcé.

L'arrestation

Mais cette carrière prometteuse va être brisée net. Alfred Dreyfus reçoit à son domicile, le samedi 13 octobre 1894, une convocation inhabituelle : il doit se présenter «en tenue bourgeoise», le lundi 15, à 9 heures du matin au cabinet du chef d'état-major de l'armée. Il s'y rend à pied. Soudain, tout bascule dans l'incompréhensible : à la place du général de Boisdeffre, le chef d'état-major, c'est le commandant du Paty de Clam qui l'attend dans un bureau où se tiennent aussi trois autres hommes en civil, inconnus. Prétextant une douleur à la main, le commandant du Paty de Clam demande à Alfred Dreyfus d'écrire à sa place une étrange lettre incluant certaines

Coup sur coup, de nombreux espions travaillant pour l'Allemagne sont arrêtés : le lieutenant Bonnet, le capitaine Guillot, Joseph Greiner, employé au ministère de la marine, etc. L'arrestation de Dreyfus (ci-dessous, montant dans le fourgon cellulaire) marque le paroxysme de cette espionnite aiguë.

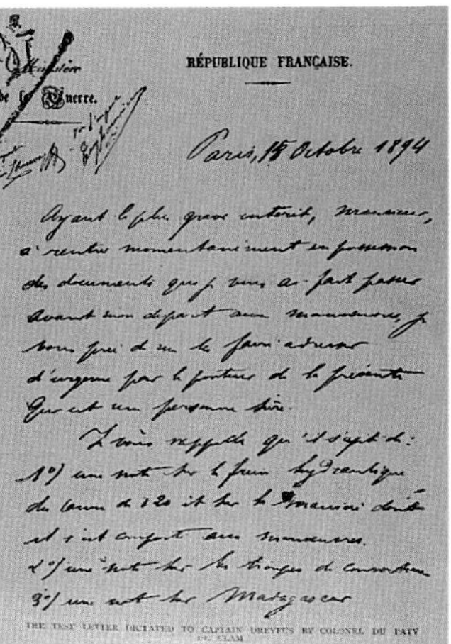

Ministère de la Guerre.

RÉPUBLIQUE FRANÇAISE.

Paris, 15 Octobre 1894

Ayant le plus grave intérêt, Monsieur, à rentrer momentanément en possession des documents que je vous ai fait passer avant mon départ aux manœuvres, je vous prie de me les faire adresser d'urgence par le porteur de la présente qui est une personne sûre.

Je vous rappelle qu'il s'agit de :
1°) une note sur le frein hydraulique du canon de 120 et sur la manière dont il s'est conduit aux manœuvres.
2°) une note sur les troupes de couverture
3°) une note sur Madagascar

THE TEST LETTER DICTATED TO CAPTAIN DREYFUS BY COLONEL DU PATY DE CLAM

phrases tirées d'un document, le «bordereau», rédigé par un espion français et récupéré dans la corbeille de l'attaché militaire allemand qui annonce la livraison prochaine d'informations importantes. L'atmosphère est tendue et étrange; Dreyfus ignore tout de ce texte. Il a froid et tremble, signe incontestable, aux yeux des officiers qui l'observent, de sa culpabilité.

Il est immédiatement mis en état d'arrestation pour crime de haute trahison, enfermé au secret à la prison du Cherche-Midi. Fou de douleur, il clame son innocence, heurte sa tête contre les murs de désespoir : «Mon seul crime, s'exclame-t-il, est d'être né juif!» L'étau se resserre brusquement : l'instruction, confiée par le général Saussier, gouverneur de Paris, généralissime de l'armée, au commandant d'Ormescheville, est menée rapidement. La presse a vent de l'affaire. *La Libre Parole* alerte l'opinion :

Le ministre de la guerre, le général Mercier, jouera un rôle déterminant dans le processus menant à l'arrestation du capitaine Dreyfus. C'est lui qui brusque le général de Boisdeffre et le général Saussier; c'est lui aussi qui persuade le gouvernement d'agir rapidement. Républicain bon teint, attaqué sans relâche par les nationalistes, il tente ainsi de rétablir sa position.

le 1er novembre, couvrant toute la première page du journal à sensations, on peut lire : «Haute trahison. Arrestation de l'officier juif A. Dreyfus.» L'émotion est immense. L'Affaire est lancée.

Traduit le 19 décembre devant un conseil de guerre, Dreyfus fait face, la tête haute, à ses accusateurs. Le verdict est rendu dès le 22. Reconnu coupable d'«avoir livré à une puissance étrangère ou à ses agents, un certain nombre de documents secrets ou confidentiels intéressant la défense nationale», il est condamné à l'unanimité à la déportation à vie dans une enceinte fortifiée et à la dégradation.

La dégradation

Celle-ci a lieu dans la cour de l'Ecole militaire, le 5 janvier 1895. Cette scène dramatique marquera longtemps la conscience nationale. En présence de plusieurs milliers d'hommes de troupe et sous les injures d'une foule hargneuse rassemblée derrière les grilles qui lance inlassablement «A mort ! A mort !» ou encore «Traître ! Traître ! Mort aux Juifs !», Dreyfus voit en un instant s'écrouler son rêve.
Un adjudant de la garde républicaine lui arrache brutalement ses galons, brise son sabre, tandis qu'il crie : «Soldats, on dégrade un innocent, soldats, on déshonore un innocent. Vive la France ! Vive l'Armée !»

Le 17 janvier, on le conduit en train à La Rochelle où, reconnu par la foule hostile, il est violemment

Par son caractère théâtral et son extrême violence, la scène de la dégradation (ci-contre) symbolise à elle seule l'Affaire. Touché au plus profond de lui-même, Dreyfus n'en réagit pas moins en soldat. Le jour même, il écrit à Lucie, son épouse : «J'avais promis de ne pas déserter mon poste, j'ai tenu parole.» Il ajoute : «Mon innocence sera reconnue et proclamée par cette chère France, ma patrie [...] à laquelle j'aurais voulu consacrer tout mon sang.» Lucie lui répond : «La France, notre chère patrie, pour laquelle nous sommes prêts à payer de notre sang, reconnaîtra son erreur et verra en toi l'un de ses plus braves, de ses plus nobles enfants.»

taille 1m 71,5 — voûte 1 — enverg. 1m 65 (1) — buste 0m 91,0
tête: long. 20,0 — larg. 16,7 — bi-zyg. 14,1 — oreille dr. 7,0
pied g. 25,5 — médius g. 11,3 — auric. g. 9,0 — coudée g. 45,1
Coul. de l'iris: n° de cl. 1-2 — nuance blanc — pér. — part.
âgé de 35 — né le 9 8 1859 — à Mulhouse — dép. Haut Rhin — âge app. 40

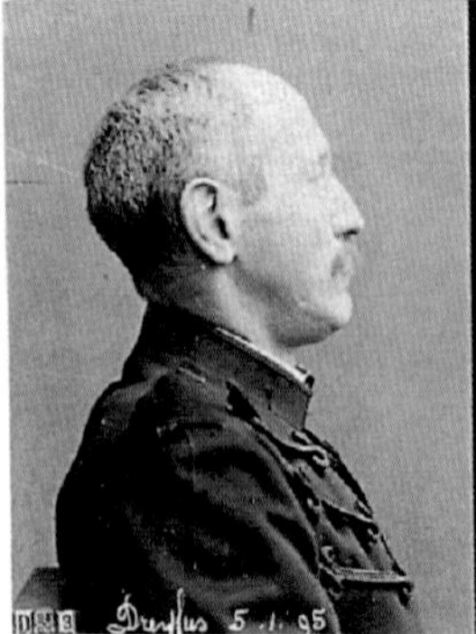

Cheveux: nu. châtain clair — part. gris
Barbe: nu. blond (roux) foncé — part.
Teint: Pig. sanguin — Sang. (grand)
part.
Dressé à Paris, le 5 Janvier 1895
par M.
vérifié le — par

La fiche anthropométrique d'Alfred Dreyfus datant de sa déportation à l'île du Diable correspond parfaitement aux fiches analogues dressées par Alphonse Bertillon, pour le compte de la préfecture de police de Paris, à partir de février 1883. Elles permettent d'identifier un individu à l'aide de ses caractères physiques. Pour Bertillon, la photo de profil est indispensable : «il est presque impossible, ajoute-t-il, de rencontrer deux oreilles qui soient identiques»; de plus, «la tenue du militaire, le dos voûté du menuisier, la raideur de l'Anglais, celle tout autre du Prussien sont autant de caractères qui se lisent sur les épaules».

frappé aux cris de «Mort au Juif !». Il part de l'île de Ré le 21 février sur un bateau qui le mène à l'île du Diable, en face de Cayenne, lieu maudit où se trouvaient isolés les lépreux. Son long calvaire commence. Les conditions de détention sont épouvantables, la solitude, immense. D'autant qu'en France, en dehors du cercle familial et de quelques intimes, dont Joseph Reinach et, bientôt, Bernard Lazare, on l'oublie rapidement.

Un conte à dormir debout

Triomphe de l'irrationnel dans une France positiviste avide de progrès scientifique, le procès de Dreyfus révèle la force d'une pensée magique, la cohabitation surprenante entre la raison, fondement du nouvel ordre républicain solidement établi, et le besoin de mystère qui agite encore profondément le corps social en cette fin de siècle où les signes de décadence sont chaque jour plus nombreux.

La dimension judiciaire de l'Affaire apparaît comme un conte à dormir debout, tant l'invraisemblable le dispute au comique :

Page d'un cahier de Dreyfus en déportation.

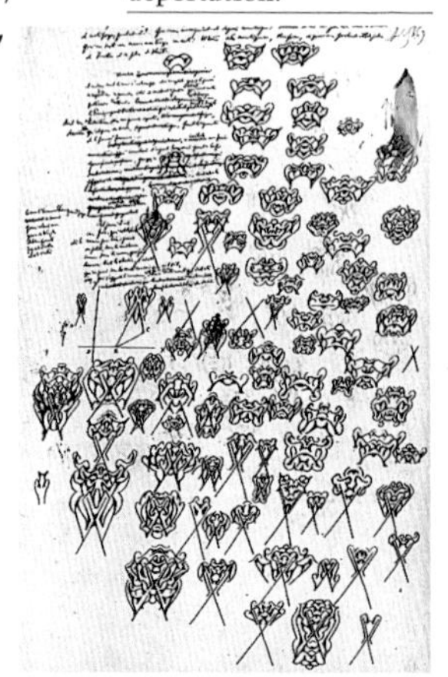

un roman-feuilleton à sensations. Quelques mois à peine avant cette arrestation hors du commun, *Le Petit Journal* a, jour après jour, diffusé en première page une histoire abracadabrante d'espionnage, située – déjà – au ministère de la guerre, et dans laquelle se trouvaient compromis d'anciens polytechniciens. Entre l'imagination la plus débridée et la réalité, tout se mêle désormais.

Le mystérieux «bordereau»

La lettre – le fameux «bordereau» sur lequel repose l'accusation – provient de l'ambassade d'Allemagne. Elle y a été interceptée, en septembre 1894, par la «voie ordinaire» : les services secrets français disposent sur place d'une espionne étonnante, Mme Bastian, femme de ménage habile à faire les poubelles et, en particulier, celles de l'attaché militaire, le lieutenant-colonel Maximilien von Schwarzkoppen. Comme dans un roman d'espionnage populaire, ce sont les petits bouts déchirés du «bordereau», transmis de suite à la Section de statistiques, autrement dit au service d'espionnage français, qui déclenchent tout. L'un des responsables du service, le commandant Henry, le reconstitue puis le montre à son chef, le commandant Sandherr.

A leurs yeux, ce texte, qui prouve la livraison à l'ennemi d'informations sur l'armement

Extrait du texte du «bordereau» adressé à Schwartzkoppen (ci-dessous): «Sans nouvelles m'indiquant que vous voulez me voir, je vous adresse cependant, Monsieur, quelques renseignements intéressants :
1° Une note sur le frein hydraulique du 120 et la manière dont est conduite cette pièce;
2° Une note sur les troupes de couverture;
3° Une note sur une modification aux formations de l'artillerie.»

et les troupes françaises ne peut provenir que de l'état-major lui-même. Pour trouver le coupable, on procède par grossières déductions. Ce «bordereau» ne peut avoir été écrit que par un artilleur de l'état-major, un stagiaire, c'est forcément Dreyfus.

Bertillon le graphologue : «un aliéné raisonnant»

Là se situe l'épisode tragi-comique des divers examens graphologiques. Pour démasquer le traître, on compare les écritures, divers experts sont requis. Plusieurs d'entre eux nient pourtant toute ressemblance entre l'écriture du «bordereau» et celle du capitaine Dreyfus. Entre alors en scène Alphonse Bertillon, chef du service de l'identité judiciaire à la préfecture. Il a mis au point l'anthropologie métrique permettant, à travers les signes physiques, de répertorier les délinquants, favorisant ainsi leur éventuelle arrestation. Personnage falot, soucieux de s'imposer dans la carrière policière, Bertillon est également, comme le souligne Joseph Reinach, un «antisémite, et des plus enflammés». Tout le rapproche du professeur Charcot qui, au même moment, construit un registre iconographique des aliénés, et se range également dans le camp antidreyfusard. Sous couvert de méthodes scientifiques, l'irrationnel se trouve convoqué afin de démasquer un capitaine Dreyfus dont les valeurs sont encore celles du siècle des Lumières.

Dans son délire accusateur, Bertillon forge une invraisemblable explication, l'«autoforgerie», à base de décalque du «bordereau». Si les écritures ne sont pas en tous points semblables, c'est que Dreyfus a imité sa propre écriture en y introduisant de soigneuses dissimulations : par des «décrochements, glissements ou déplacements», à l'aide

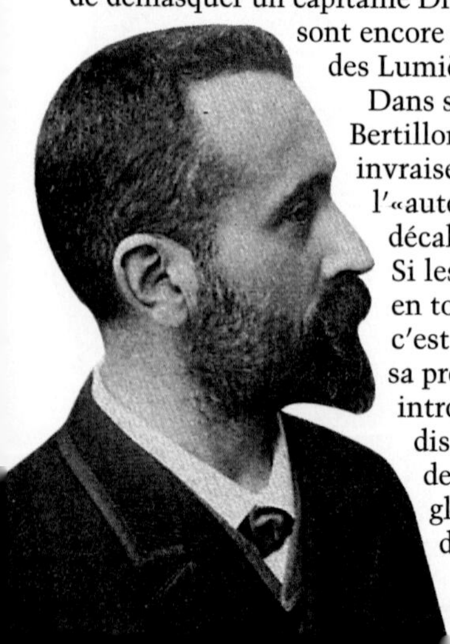

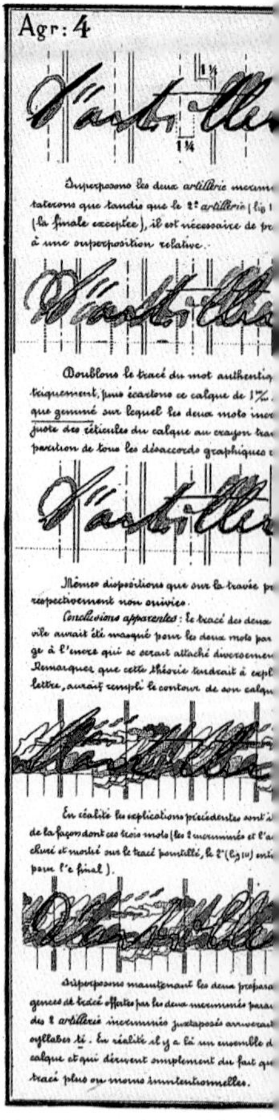

Bertillon (à gauche) propose d'appliquer sa technique aux étrangers. En 1912, on instaure un carnet anthropométrique d'identité, obligatoire pour les nomades. Le régime de Vichy créera, quant à lui, une carte d'identité personnelle avec empreintes digitales et portrait.

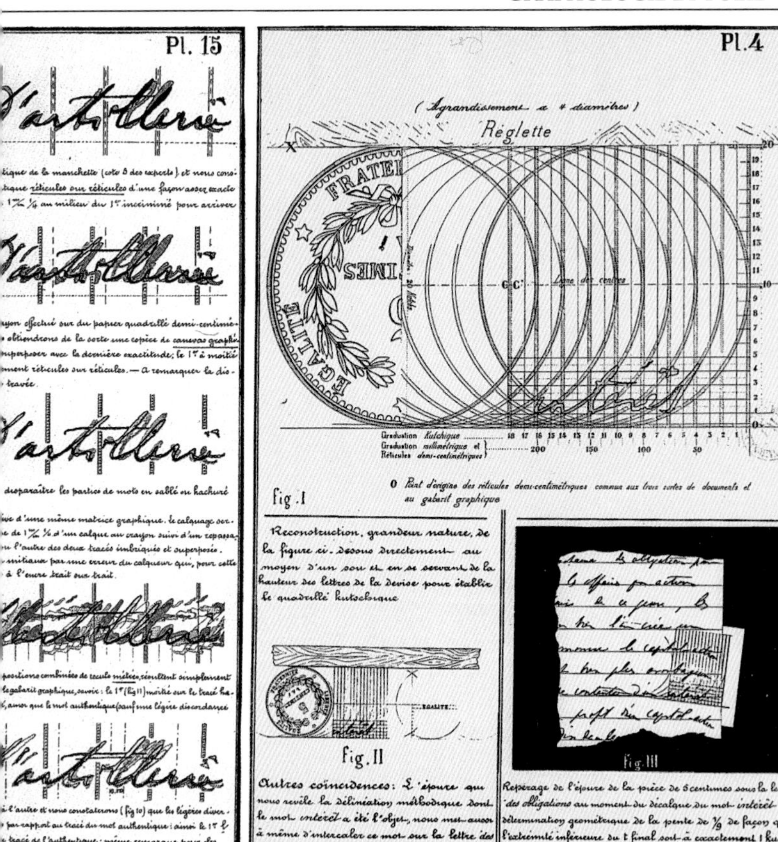

aussi de collages et d'emprunts à divers membres de sa famille et, en particulier, à l'écriture de son frère Mathieu, il serait parvenu à contrefaire sa propre écriture. Raisonnement invraisemblable qui sera pourtant pris au sérieux par des juges issus des grandes écoles scientifiques. Après avoir écouté sa démonstration, le président de la République Casimir-Perier verra en lui «un aliéné raisonnant», un individu «complètement fou». Il apporte néanmoins son soutien au camp antidreyfusard.

Le «redan», schéma censé rendre plus compréhensible la thèse de l'«autoforgerie», se fonde, en fait, sur une explication délirante : «citadelle des rébus graphiques, travaux des maculatures machinées à double face!»

La découverte du dossier secret

Autre épisode témoignant de la place de la pensée irrationnelle, celui de Mme Léonie, qui survient en janvier 1895. Ne sachant où trouver du secours, Mathieu Dreyfus, le «frère admirable », entend dire qu'au Havre, un certain docteur Gibert, expert en psychiatrie, pourrait l'aider. Convaincu de l'innocence de son frère, ce médecin estime que l'une de ses patientes, Léonie, serait capable, par ses dons de voyance, de venir à bout du mystère de cette condamnation inexplicable ne reposant sur aucune preuve connue. Tout comme Charcot, le docteur Gibert se livre à des expériences d'hypnose. Mathieu se rend donc au Havre pour rencontrer Léonie.

Celle-ci, en transe, lui prend les pouces puis lui parle de son frère, des lunettes qu'il porte – vision troublante puisque Alfred, qui arbore d'habitude un pince-nez, porte depuis peu, sans que Mathieu le sache, des lunettes cerclées. Décontenancé, mais ébranlé, Mathieu apprend à son tour à mettre Léonie en état d'hypnose et l'installe chez lui, rue de la Victoire. Il a été particulièrement frappé par une révélation de Léonie, qui demande à haute voix : «Qu'est-ce que c'est que ces pièces qu'on montre secrètement aux juges ? Ne faites pas cela, ce n'est pas bien... Des pièces que vous ne connaissez pas, qu'on a montrées aux juges, vous verrez plus tard.» Le docteur Gibert évoque quelque temps plus tard le destin tragique du capitaine Dreyfus devant son ami Félix Faure, le tout récent président de la République. Celui-ci lui révèle alors l'existence d'un dossier secret

Dès le début de l'Affaire, Mathieu Dreyfus fait preuve d'une détermination sans faille. Il abandonne sa vie professionnelle et s'installe à Paris, loin de sa famille. En butte à une étroite surveillance policière, soumis à des menaces constantes, il est seul pour tenter de briser le «silence de mort» qui s'instaure. Elégant et de grande stature, il parvient, lui le provincial, à s'imposer dans un milieu qui lui est inconnu.

Mathieu Dreyfus racontera ainsi sa première rencontre avec Léonie (ci-contre, à gauche sur la photo) : «Je vis une paysanne, assise sur un canapé, les yeux fermés, paraissant âgée d'une cinquantaine d'années, aux traits réguliers, coiffée du bonnet normand [...]. Elle me prit les pouces, les gratta, puis elle me dit : "Vous êtes son frère."»

qui, communiqué aux seuls juges, a emporté leur conviction. Les dons de voyance de Léonie sont ainsi confirmés. La plus haute autorité de l'Etat républicain, le président de la République, est donc au courant de cette irrégularité flagrante. Il ne s'en émeut guère.

Le képi du commandant Henry

De quoi s'agit-il donc ? De pièces constituant un dossier secret, en particulier de celles que la Section de statistiques a interceptées au début de 1894 concernant les défenses de Nice et de la Meuse. Elles proviennent d'un agent que Schwartzkoppen et son ami intime, l'attaché militaire italien Panizzardi, appellent «Dubois». Une lettre essentielle évoque «ce canaille de D.». Elle est utilisée dans le sens de la culpabilité de Dreyfus, dont le nom a la même initiale. Ce dossier contient aussi des documents qui s'avèreront truqués dans le but d'accabler Dreyfus.

Faire passer Dreyfus pour «Dubois» est un jeu d'enfant pour le petit groupe de faussaires de la Section de statistiques. Ils forgent ainsi l'une des pièces maîtresses de l'accusation, qui semble irrécusable. A tel point que, de nos jours encore, on l'utilise pour affirmer la culpabilité du capitaine. Ainsi dans le livre d'André Figueras *Ce canaille de D...reyfus*, diffusé amplement dans les milieux d'extrême droite, on peut lire : «Toutes les vérités ne sont pas bonnes à taire. Et notamment celle-ci, que Dreyfus ne fut point innocent.»

Présenté secrètement aux juges au cours du procès qui se déroule à huis clos, ce dossier les a incités à condamner Dreyfus. L'illégalité est de taille, puisque ni le prévenu ni ses avocats n'en ont eu connaissance. C'est également lors du procès que l'un des responsables de la Section, le commandant Henry, officier sorti du rang particulièrement hostile aux prérogatives dont bénéficient les polytechniciens, atteste qu'une «personne honorable» l'a averti de la trahison de Dreyfus. Le désignant, il déclare solennellement : «Le traître, le voici». Puis, en frappant son képi, il ajoute, à l'adresse des juges s'enquérant de l'identité de ce mystérieux personnage, cette phrase passée à la postérité : «Il y a des secrets dans la tête d'un officier que son képi doit ignorer.» Pour clore son intervention, Henry jure, tendant la main vers la statue du Christ, que Dreyfus est bien le traître.

L'incroyable, c'est en définitive que des officiers supérieurs de l'armée de la république se soient contentés de telles gesticulations et aient accepté d'élever de semblables élucubrations à la dignité de preuves irréfutables de la culpabilité du capitaine.

La fusillade de Fourmies éclate le 1er mai 1891. La troupe tire sur un défilé d'ouvriers, tuant neuf personnes. La ville est sous la responsabilité du sous-préfet juif Isaac. Dès lors, tout est clair : c'est pour donner aux Allemands des renseignements sur les capacités du nouveau fusil Lebel qu'«Isaac le Diable» a ordonné le tir. Le curé Margerin se serait, au contraire, précipité au secours des victimes, félicité par le pape, Albert de Mun et Drumont lui-même. Le grand rabbin Zadoc Kahn, en Belzébuth sorti de son chaudron, vient néanmoins sauver Isaac du châtiment de Constans, ministre de l'intérieur.

Une irrationalité propice à tous les délires

Cette France fin de siècle donne le tournis. On le voit, tout est théâtral. L'Affaire fait figure de mauvais drame passionnel avec ses détectives privés de l'agence anglaise Cook engagés par Mathieu Dreyfus et chargés de surveiller voire de séduire les agents ennemis liés à l'Allemagne afin de tenter de découvrir la vérité, avec ses fausses évasions, ses voyantes, ses allusions énigmatiques au Masque de Fer, ses mystérieuses maîtresses agissant dans l'ombre, ses fausses moustaches et ses fausses barbes arborées lors de rendez-vous clandestins près du parc Montsouris, sur les berges de la Seine, dans de sombres vespasiennes où s'échangent des missives, ses documents tronqués, comme seuls des amateurs oseraient en confectionner... Il est question de Cagliostro, de l'inquiétante Speranza, de la mystérieuse femme voilée... Et l'Affaire va rebondir sur un «coup de théâtre» : le banquier de Castro, dont le nom paraît inventé tout à propos, qui, arpentant précisément... les boulevards où se donnent tant de comédies fantasques et légères, tombe, alors qu'il attend l'omnibus place de la Madeleine, sur un fac-similé du fameux «bordereau», reconnaît l'écriture de son client, le commandant Esterhazy,

En 1896, Mathieu Dreyfus organise la divulgation, par le *Daily Chronicle*, de la fausse nouvelle de l'évasion de son frère. Il cherche ainsi à relancer une Affaire qui s'enlise dans l'indifférence. *La Libre Parole* et *L'Intransigeant* accusent le «syndicat d'évasion» d'avoir acheté avec son or la complicité des gardiens. Sur place, Alfred Dreyfus est, par mesure de rétorsion, enchaîné. Les fers le meurtrissent, ensanglantent ses chevilles ; les araignées-crabes et les fourmis parcourent son corps immobilisé pendant plus de quarante nuits. Une palissade de 2,50 m de haut entoure désormais sa case.

Affaire Dreyfus.

Document No. 2.

L'Ecriture de Dreyfus.

AVIS

Les détenus ne peuvent écrire qu'à leurs proches parents et tuteurs, et seulement une fois par mois, à moins de circonstances exceptionnelles. Ils peuvent être temporairement privés de correspondance.

Ils ne doivent parler que de leurs affaires de famille et de leurs intérêts privés.

Il leur est interdit de demander ou de recevoir des aliments ou des **timbres-poste**. Ils ne peuvent envoyer ou recevoir des secours que sur l'autorisation expresse du Directeur, ces secours doivent leur être adressés, soit en billets de banque par lettres chargées, soit en mandats-poste au nom du greffier comptable.

La correspondance est lue, tant au départ qu'à l'arrivée, par l'administration, qui a le droit de retenir les lettres.

Les familles peuvent adresser leurs lettres au Directeur, sous enveloppe affranchie, mais elles ne doivent recourir à aucun autre intermédiaire.

Les visites ont lieu au parloir   fois par semaine le   et le   s.

Les visiteurs doivent être munis d'une pièce constatant leur parenté.

DÉPOT DE SAINT-MARTIN-DE-RE

le 24 Janvier 1895

Noms et prénoms Alfred Dreyfus

No d'écrou   Atelier Jeudi

Ma chère Lucie,

D'après ta lettre datée de Mardi, tu n'as encore reçu aucune lettre de moi. Comme tu dois souffrir ma pauvre chérie! Quel horrible martyre pour tous deux! Sommes nous assez infortunés! Qu'avons nous donc fait pour subir une pareille infortune. C'est franchement là ce qu'il y a de plus épouvantable, c'est qu'on se demande de quel crime on est coupable. Quelle faute on expie.

Je t'embrasse ton

Alfred

Affaire Dreyfus.

Document No. 3.

L'Ecriture d'Esterhazy.

Je reçois, Monsieur, avec surprise la lettre que vous avez bien voulu m'adresser. Je crois devoir vous donner quelques explications. A l'époque de mon mariage et dans les temps qui suivirent, je fus l'objet des tentatives fort nettes de chantage de la part d'une certaine dame Deltrieu et [illegible] de ma nouvelle famille [illegible] j'ai la très grande faiblesse à ce moment de me laisser troubler par ces indignes manœuvres. Cette femme m'extorqua ainsi diverses sommes et même falsifia une signature. Elle eut à cette occasion comme agent conscient ou inconscient ([illegible]) un [illegible] Billy que je ne connaissais pas et n'avais jamais vu. [illegible] de dire que jamais je n'ai contracté l'ombre d'une dette vis-à-vis de ces 2 personnages, que je n'ai jamais rien acheté, jamais rien dû, ainsi que [illegible] la preuve. Il y a environ cinq ans, après avoir subi [illegible] plusieurs exploitations, je me révoltai à la fin et refusai de payer un billet faux qui me fut présenté par la [illegible]

Veuillez croire, Monsieur, à mes [illegible]

Esterhazy

La bataille d'experts qui s'est engagée pour démontrer la culpabilité de Dreyfus a porté surtout sur l'écriture du «bordereau». Bertillon invente l'«autoforgerie». Teyssonière, un autre expert, confirme les vues de Bertillon tandis que Charavay, archiviste-paléographe reconnu, estime lui aussi qu'en dehors de la possibilité d'un «sosie en écriture», Dreyfus paraît bien être l'auteur du «bordereau». Un autre expert auprès des tribunaux, Eugène Pelletier, innocente au contraire le capitaine. Si de nombreux savants s'engagent ensuite en faveur du capitaine, c'est qu'à partir de leur propre compétence, ils en viennent à récuser cette preuve. Des historiens ou des membres de l'école des chartes jouent dans ce sens un rôle décisif.

et dévoile à Mathieu Dreyfus la culpabilité certaine de cet officier tout à la fois débauché, joueur et escroc.

L'action du drame se déroule sur fond de folie raciste : ainsi le directeur de la prison de Saint-Martin-de-Ré n'autorise pas Lucie Dreyfus à serrer la main de son mari car il redoute qu'elle parvienne à lui transmettre des informations au moyen de quelque «signe cabalistique». C'est dans cette ambiance que seront diffusés les fameux *Protocoles des sages de Sion,* faux censé révéler la domination mondiale qu'exerceraient les Juifs à travers une société secrète et tentaculaire. Ce texte inventant un complot juif connaîtra un succès immédiat à travers le monde entier.

Les *Protocoles des sages de Sion*, faux fabriqué par la police secrète russe en 1897, abondent de détails concernant la vie politique française. Ils sont diffusés par Mgr Jouin qui soutient que «la France et les pays catholiques sont les plus visés» par cette conspiration juive. L'équipe de *La Libre Parole* s'y réfère en permanence de même que la presse d'extrême droite contemporaine : le périodique *Révision*, qui diffuse, en 1989, l'intégralité des *Protocoles*, estime que ce texte est «on ne peut plus actuel». On le trouve en vente libre dans de nombreux pays.

Une causalité diabolique

Le capitaine Dreyfus fait figure de bouc émissaire parfait, d'autant plus qu'à travers lui, on s'en prend à la république. Dès le début, si son nom s'impose de toute évidence parmi ceux de tous les officiers pouvant faire figure de traître, c'est qu'il est juif : le raisonnement du lieutenant-colonel d'Aboville qui, par «déduction», remonte à Alfred Dreyfus alors même que ce dernier ne connaît rien du canon de 120, qu'il n'a jamais été chargé d'une mission à Madagascar et n'est nullement parti en manœuvre comme l'annonce l'auteur véritable du bordereau, en est une illustration frisant la caricature. «J'aurais dû m'en douter», s'exclame alors le chef de la Section, le colonel Sandherr, connu pour son antisémitisme. Et même si certains experts ne reconnaissent pas l'écriture de Dreyfus, on en change jusqu'à en trouver d'autres qui affirment pouvoir l'identifier.

Officier irréprochable, rien ne l'accuse ; officier juif, il incarne aux yeux d'officiers pourtant républicains l'image même du félon, de celui qui vend la France à l'Allemagne. Dès lors, une «logique» imparable se met en place : les Juifs, même les plus patriotes, sont par essence des traîtres en puissance ; Dreyfus est à ce moment le seul officier juif de l'état-major ; donc Dreyfus est l'auteur du «bordereau».

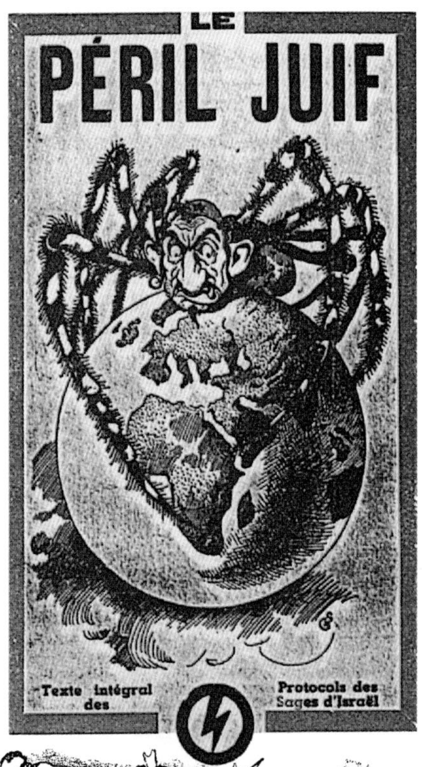

Après la dégradation, véritable cérémonie expiatoire, Léon Daudet, fidèle collaborateur de *La Libre Parole*, estime que le capitaine «n'a plus d'âge. Il n'a plus de teint. Il est couleur traître [...] une épave du ghetto. [...]. Le misérable n'était pas français. Nous l'avions tous compris par son acte, par son allure, par son visage». Et Maurice Barrès, le chantre du nationalisme radical, d'ajouter : «Que Dreyfus est capable de trahir, je le conclus de sa race.» C'est bien ce raisonnement circulaire que dénonce Me Demange, le fidèle avocat catholique de l'officier, lorsqu'il déclare : «Si le capitaine Dreyfus n'était pas juif, il ne serait pas au Cherche-Midi.»

Edition Populaire illustrée

LA FRANCE JUIVE

ÇA IRA

Par

Ed. DRUMONT

La Livraison

10c

EN VENTE CHEZ TOUS LES LIBRAIRES & MARCHANDS DE JOURNAUX

« Sais-tu où tu vas la France ? Tu vas à l'Eglise, tu retournes au passé, à ce passé d'intolérance et de théocratie. Les églises restaient désertes, le peuple ne croyait plus. Et voilà que les circonstances ont permis de souffler au peuple la rage antisémite. On le lance dans les rues, criant : "A bas les Juifs ! A mort les Juifs !" Quel triomphe si l'on pouvait déchaîner une guerre religieuse. »

Emile Zola, *Lettres à la France,*
9 janvier 1898

CHAPITRE III
LA MARÉE ANTISÉMITE

Certains historiens ont tendance à minorer la place de l'antisémitisme durant l'Affaire ; d'autres estiment aussi qu'il ne joue pas un rôle essentiel puisque des antisémites deviennent dreyfusards tandis que certains antidreyfusards condamnent l'antisémitisme.

AHMRA!!
ALERTE, GAULOIS!
Prime de LA LIBRE PAROLE
LE ROI DES JUIFS
Grand Roman
par GEORGES DUVAL
CAPITAL SÉMITE
Tu descends des Gaulois, dis-tu! Eh bien, mon petit, tu me parais furieusement diminué.

Pour démontrer le caractère récent et artificiel de la tradition de 1789, on met l'accent sur les origines profondes de la nation française. Ainsi Albert de Mun, le dirigeant très conservateur d'un catholicisme ayant pourtant accepté le ralliement à la république, montre, à Reims, en mai 1896, à l'occasion du quinzième centenaire du baptême de Clovis, comment, dès les premiers temps de «notre race», le cri de Clovis fit «surgir le secours divin» qui décida du destin de la «petite tribu». Fixée depuis si longtemps sur «le sol gaulois [...], la nation franque a reçu sa mission». Dans un manuel en usage à l'époque dans les écoles catholiques, on peut aussi lire : «A partir du baptême de Clovis qui fut suivi de la conversion d'une grande partie de son armée et du peuple, commence la véritable histoire de France [...]. Vous n'oublierez donc jamais, mes enfants, que dans ces commencements si troublés et si difficiles de notre histoire, la France doit surtout à l'Eglise sa nationalité, sa loi, sa civilisation.» En haut, à droite, une caricature de *La Libre Parole* sur Joseph Reinach, désigné comme le chef du «syndicat».

Drumont, l'inspirateur

Dès 1886, la conviction d'Edouard Drumont est claire : «On ne s'improvise pas patriote, on l'est dans le sang, dans les moelles.» Le Sémite est «négociant d'instinct, il a la vocation du trafic» tandis que l'Aryen est «agriculteur, poète, moine et surtout soldat. La guerre est son véritable élément [...], il brave la mort». Entre le Sémite «mercantile, cupide, intrigant, subtil, rusé» et l'Aryen «enthousiaste, héroïque, chevaleresque, désintéressé», il ne peut y avoir qu'une opposition radicale.

Un peu plus tard, Maurice Barrès, son admirateur inconditionnel considère, en définitive, l'affaire Dreyfus comme «une guerre de races». A ses yeux, «l'antisémitisme, c'est une protestation contre

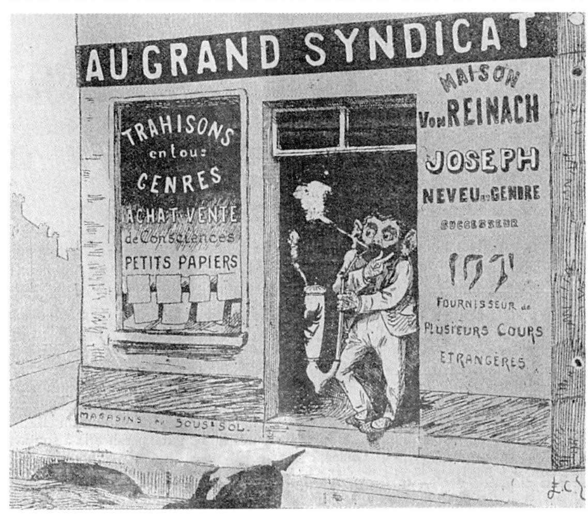

Barrès (ci-dessous), devient le porte-parole du mouvement nationaliste. Pour lui, «la mise en liberté du traître Dreyfus serait après tout un fait minime, mais si Dreyfus est plus qu'un traître, s'il est un symbole, c'est une autre affaire ! Halte-là! Le triomphe du camp qui soutient Dreyfus-symbole installerait décidément au pouvoir les hommes qui poursuivent la transformation de la France selon leur esprit propre. Et moi je veux conserver la France. C'est tout le nationalisme, cette opposition».

l'accession des étrangers aux charges de l'Etat». Et de dénoncer les hauts fonctionnaires qui «sortent de la synagogue», de combattre «l'Etat juif dans l'Etat français», d'appeler, dans les termes de Maurras, le fidèle adepte du retour à la monarchie, à un «nettoyage national» venant à bout des quatre «Etats confédérés», les francs-maçons, les protestants, les Juifs et les métèques, qui se sont emparés du pouvoir. Barrès part en guerre contre les «bêtes à concours» que sont les Juifs, tels les trois frères Reinach, ou encore Alfred Dreyfus lui-même, accusés de fonder leur ascension sur le savoir de l'instituteur et non les vertus de l'officier.

«La France aux Français»

Cette tradition contre-révolutionnaire, inaugurée aux lendemains de 1789 par Joseph de Maistre, s'exprime aussi dans le livre dédié par Jules Soury au général Mercier, *Campagne nationaliste*. Véritable théoricien du racisme biologique

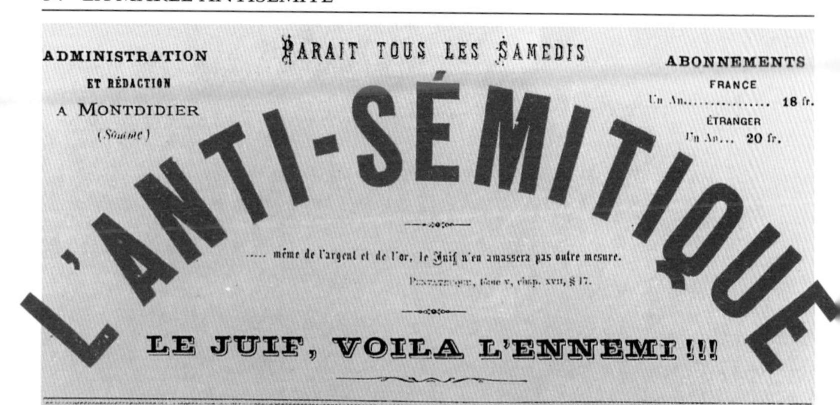

ADMINISTRATION ET RÉDACTION
A MONTDIDIER
(Somme)

PARAIT TOUS LES SAMEDIS

ABONNEMENTS
FRANCE
Un An................ 18 fr.
ÉTRANGER
Un An... 20 fr.

L'ANTI-SÉMITIQUE

..... même de l'argent et de l'or, le Juif n'en amassera pas outre mesure.

[illegible], chap. xvii, § 17.

LE JUIF, VOILA L'ENNEMI !!!

SOMMAIRE :

CELA NE PEUT PAS DURER. — EXAMEN DE LA GENÈSE (suite). — UNE PREMIÈRE A LA PRESSE. — MONSIEUR LE BARON (suite). — INFORMATIONS. — L'USURE ET LES USURIERS, PAR UN JUIF. | CORRESPONDANCE. — HISTOIRE DES JUIFS (suite). ETUDE SUR LA FRANC-MAÇONNERIE (suite). — ECHOS. — LE CHEMIN DE FER DU NORD. — LA BOURSE. — CORRESPONDANCE.

dans lequel se reconnaît Barrès et le mouvement nationaliste, Soury soutient que l'affaire Dreyfus constitue «le réactif par la vertu duquel deux France se sont séparées, éloignées pour toujours, comme d'irréconciliables ennemies [...] les Francs-Maçons, les Protestants et les Juifs représentent donc, en face des catholiques, la pensée libre, sans tradition, sans servitude volontaire. Entre les uns et les autres, l'état de guerre est fatal [...]. L'âme française a besoin d'être retrempée dans le feu et de subir un nouveau baptême de sang».

En cette fin de siècle, pour la défense de la terre et des morts, de l'armée et de l'Eglise, brutalisée par le mouvement de laïcisation républicain, se lève donc un mouvement nationaliste que l'Affaire galvanise. Le cri «La France aux Français» peut retentir indéfiniment, signifiant aussi qu'un Juif ne saurait être français et, par conséquent, qu'un officier juif ne peut avoir sa place au sein de l'«Arche sainte»; peu importe son mérite et son patriotisme, il demeure un étranger inassimilable, un traître en puissance. Au nom d'une identité nationale appréhendée de manière tout à la fois raciale et culturelle, le nationalisme à la française se constitue, à partir du mouvement boulangiste populiste, et en

Le slogan «La France aux Français» orne chaque jour la une de *La Libre Parole*. On le retrouve sans cesse dans l'éphémère revue *L'Anti-Sémitique*. Lors des manifestations locales comme dans la presse régionale, il se décline souvent de multiples manières, s'adaptant aux divers particularismes : «La Picardie aux Picards», ou encore «Le Médoc aux Médocains», etc. Dans un manuel catholique de l'époque, on peut lire : «La Patrie est le pays où nous sommes nés, où sont nés nos pères et nos aïeux, où ils ont vécu, où ils sont morts [...] tout le sol français, toute la terre française est pour nous le sol de la patrie, la terre de la patrie» (cité par Yves Déloye).

particulier de la campagne que Barrès mène à Nancy en 1898, comme un formidable refus de la synthèse républicaine. L'Affaire offre l'occasion rêvée d'en découdre avec tous les ennemis de l'intérieur pour régénérer enfin la nation en revenant à l'instinct et à l'inconscient par lesquels s'exprime la «vérité française», le moi collectif.

Le traître, le comte Walsin-Esterhazy

Esterhazy est démasqué – par hasard, on s'en souvient, mais aussi à la suite d'une enquête menée par le nouveau responsable de la Section, le commandant Picquart, officier alsacien, pourtant antisémite, convaincu de la culpabilité de Dreyfus. En mars 1896, il intercepte par la «voie ordinaire» un nouveau document, le «petit bleu», envoyé par Schwartzkoppen. Il en reconstitue le sens en l'absence du commandant Henry et découvre l'identité de son destinataire, Esterhazy. Picquart se renseigne : Esterhazy, criblé de dettes, pourvoyant au confort d'une maîtresse dispendieuse, a de grands besoins pécuniaires, il a même été vu entrant à l'ambassade allemande. Par ailleurs, il se rend fréquemment

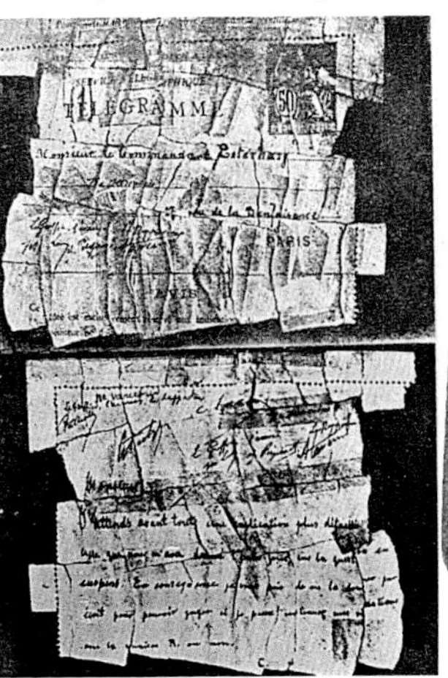
TELEGRAMME

Monsieur le Commandant Esterhazy

PARIS

D'origine hongroise, Ferdinand Walsin-Esterhazy (ci-dessous) échoue à Saint-Cyr, entre dans la Légion étrangère en 1870 et est affecté, en 1877, avec le grade de capitaine, aux services de renseignements. Il vend ses secrets, à partir de juillet 1894, à l'ambassade d'Allemagne à Paris. Il écrira le «bordereau» fatal puis sera le destinataire du «petit bleu». A la fin 1898, après avoir été découvert, il s'enfuit en Angleterre où il mourra en 1923.

au siège de *La Libre Parole*. Peu après, on apprendra avec stupeur que cet officier de l'armée française n'a pas caché, dans une correspondance privée, qu'il serait heureux d'être tué comme «capitaine de uhlans sabrant des Français». Pour l'heure, en comparant l'écriture d'Esterhazy à celle du «bordereau», Picquart est convaincu de sa culpabilité. La conclusion s'impose d'elle-même : si Esterhazy est coupable, Dreyfus est innocent.

De son côté, Bernard Lazare publie sa brochure «La vérité sur l'affaire Dreyfus», qui contient tant d'informations précises que l'état-major accuse Picquart d'être responsable de ces fuites. Celui-ci, fort de sa conviction, alerte les autorités militaires qui le rabrouent : «Qu'est-ce que cela peut vous faire que ce Juif reste à l'île du Diable ?» Il importe, lui intime-t-on, de «séparer les deux affaires». Sa conscience s'y refuse : «Je ne sais pas ce que je ferai, mais, en tout cas, je n'emporterai pas ce secret dans la tombe !» s'écrie-t-il. Le commandant est sanctionné, envoyé en Tunisie, menacé.

Bernard Lazare appartient au judaïsme du comtat Venaissin. Anarchiste, il combat toutes les religions. Joseph Valabrègue, le beau-frère d'Alfred Dreyfus, le met en contact avec Mathieu. Il devient «le premier des dreyfusards» (Léon Blum) et se bat en duel avec Drumont (caricature de *La Libre Parole* sur «une erreur judiciaire», ci-dessous).

Picquart (ci-dessous) devient un «héros» qui peut rallier à la cause dreyfusarde une partie des catholiques conservateurs.

Méline succède, au printemps 1896, à Léon Bourgeois à la tête du gouvernement où il demeure vingt-six mois. Il met un terme à l'affrontement avec l'Eglise, renforce le parti colonial et honore l'armée. Si, dans cette caricature, il paraît hésiter entre la gauche et la droite, il refuse, en réalité, de prendre en considération les preuves de l'innocence de Dreyfus que lui apporte Scheurer-Kestner.

De passage à Paris, il se confie à son ami Me Leblois qui, sous le sceau du secret, raconte les événements au vice-président du Sénat, un autre Alsacien protestant, Scheurer-Kestner. Celui-ci court voir le président de la République, Félix Faure, puis se précipite chez le président du Conseil, Méline, enfin va voir le ministre de la guerre, Billot. En vain, on ne veut l'entendre. Mathieu Dreyfus, mis au courant par d'autres voies, se rend chez Scheurer-Kestner, et en accord avec lui, envoie une lettre publique au ministre de la guerre.

Si Méline, figure de proue du personnel républicain, soutient toujours qu'«il n'y a pas d'affaire Dreyfus», l'armée, à la suite d'une contestation désormais publique se voit, bien malgré elle, dans l'obligation d'ouvrir une enquête. Les plus hautes autorités militaires ne sont donc pas parvenues à protéger totalement Esterhazy. Contre toute

Scheurer-Kestner est un proche ami de Gambetta et l'oncle de Jules Ferry. Il a été directeur politique de *La République française*. Dès novembre 1897, il affirme, dans *Le Temps*, l'innocence de Dreyfus.

J'A

LETTRE AU

évidence, celui-ci affirme pourtant que Dreyfus a imité son écriture. Soutenu par l'état-major, il gagne sans difficulté le procès qui lui est intenté. Tandis qu'il triomphe sans vergogne, Picquart est arrêté. On le soupçonne d'être vendu au «syndicat» juif, à cette société secrète agissant dans l'ombre en faveur de Dreyfus comme le font les mystérieux Juifs des *Protocoles.* Me Labori, le jeune et brillant avocat de Lucie Dreyfus, pas plus que Me Demange, engagé cette fois par Mathieu, n'ont pu dévoiler le complot politico-militaire.

Né en 1841, député de Paris, Clemenceau est le principal dirigeant des radicaux, qui s'en prennent à la politique coloniale. Favorable à l'entreprise de Boulanger,

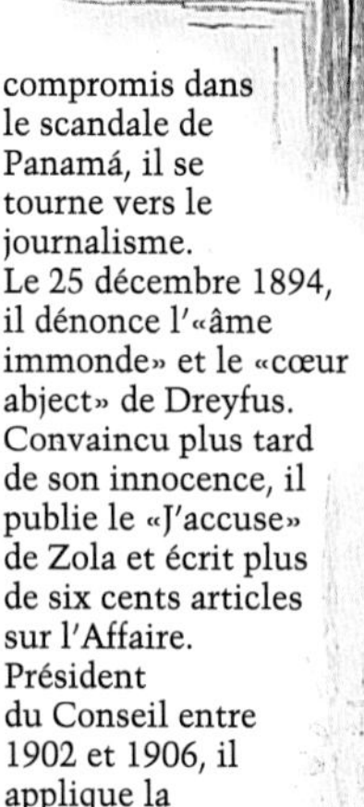

compromis dans le scandale de Panamá, il se tourne vers le journalisme. Le 25 décembre 1894, il dénonce l'«âme immonde» et le «cœur abject» de Dreyfus. Convaincu plus tard de son innocence, il publie le «J'accuse» de Zola et écrit plus de six cents articles sur l'Affaire. Président du Conseil entre 1902 et 1906, il applique la séparation de l'Eglise et de l'Etat.

Zola, l'homme par qui la vérité arrive

Le déni de justice, cette fois, est trop fort : la France tout entière va s'embraser. L'acquittement d'Esterhazy, le 11 janvier 1898, a des parfums de scandale. C'en est trop. La riposte, inattendue, va tout faire basculer. Dans la matinée du 13, *L'Aurore*, le journal de Clemenceau, répand la foudre à trois cent mille exemplaires : le «J'accuse» d'Emile Zola, alors au faîte de sa gloire. Zola grossit délibérément le trait, attaque de face l'armée, dénonce la raison d'Etat. Tout est violent, il faut clamer le caractère inique du procès fabriqué, l'innocence de Dreyfus. Dans le droit fil de la tradition émancipatrice française, il écrit : «Je n'ai qu'une passion, celle de la lumière, au nom de l'humanité qui a tant souffert et qui a droit au bonheur.» L'affaire Dreyfus s'inscrit à présent dans la longue histoire de la lutte contre l'oppression : elle devient un symbole marquant du combat en

ccuse...!

SIDENT DE LA RÉPUBLIQUE

'ar ÉMILE ZOLA

faveur de la justice. «C'est un crime d'empoisonner les petits et les humbles, d'exaspérer les passions de réaction et d'intolérance en s'abritant derrière l'odieux antisémitisme, dont la grande France libérale des droits de l'homme mourra, si elle n'en est pas guérie.» La lutte en faveur du capitaine juif s'impose à tous les républicains ; elle se trouve élevée à la dimension d'un principe moral. La mémoire en retiendra son caractère universaliste.

Zola en accusation

Le brûlot de Zola apparaît comme une provocation délibérée. La réaction de l'Etat ne se fait pas attendre. Des poursuites judiciaires

Au moment de l'Affaire, Zola est un écrivain célèbre qui a terminé les vingt volumes des *Rougon-Macquart*. Sous l'influence de Bernard Lazare et de Scheurer-Kestner, il se convainc de l'innocence de Dreyfus et écrit, en novembre 1897 : «La vérité est en marche, et rien ne l'arrêtera.» Jugé après le célèbre «J'accuse» (ci-contre à son procès), injurié et menacé, il est condamné à 300 000 F d'amende et à un an de prison. Rentré en France après sa fuite en Angleterre, il ne sera jamais véritablement réhabilité. Il meurt asphyxié, le 30 septembre 1902, dans des circonstances mystérieuses. Au cours du transfert de ses cendres au Panthéon, en 1908, en présence de Clemenceau, Jaurès et Picquart, Grégori, un journaliste, tire sur Alfred Dreyfus qui est blessé au bras. *L'Action française* salue ce «geste très français».

sont décidées. Méline déclare devant la Chambre des députés que l'«on n'a pas le droit de vouer au mépris les chefs de l'armée». Les parlementaires l'acclament, la confiance au gouvernement est très largement votée. Le procès Zola s'ouvre le 7 février 1898 dans une ambiance survoltée, en présence d'une foule nombreuse. Tous les acteurs de l'Affaire défilent : les généraux, les responsables de la Section de statistique, Bertillon, qui demeure fidèle à ses élucubrations, Picquart et Henry, devenus ennemis jurés.

Pour emporter la conviction, le général de Pellieux, qui a mené l'enquête sur Esterhazy, brandit un nouveau texte, – le «faux Henry» –, accablant pour Dreyfus. Sur ce document, fabriqué maladroitement par Henry dans l'ignorance de ses supérieurs, et qui leur est remis dès novembre 1896, on peut lire, sous la plume prétendue de Panizzardi s'adressant à Schwartzkoppen : «J'ai lu qu'un député va interpeller sur Dreyfus. Si on demande à Rome nouvelles explications, je dirai que jamais j'avais des relations avec ce Juif.» Tumulte, émotion.

Zola aux outrages (ci-contre), une peinture montrant l'écrivain au milieu d'une foule haineuse.

Maître Labori (en bas, à gauche) a défendu, avec maître Demange, Alfred Dreyfus avant d'être le brillant avocat d'Emile Zola. Il sera également celui du colonel Picquart et de Joseph Reinach.

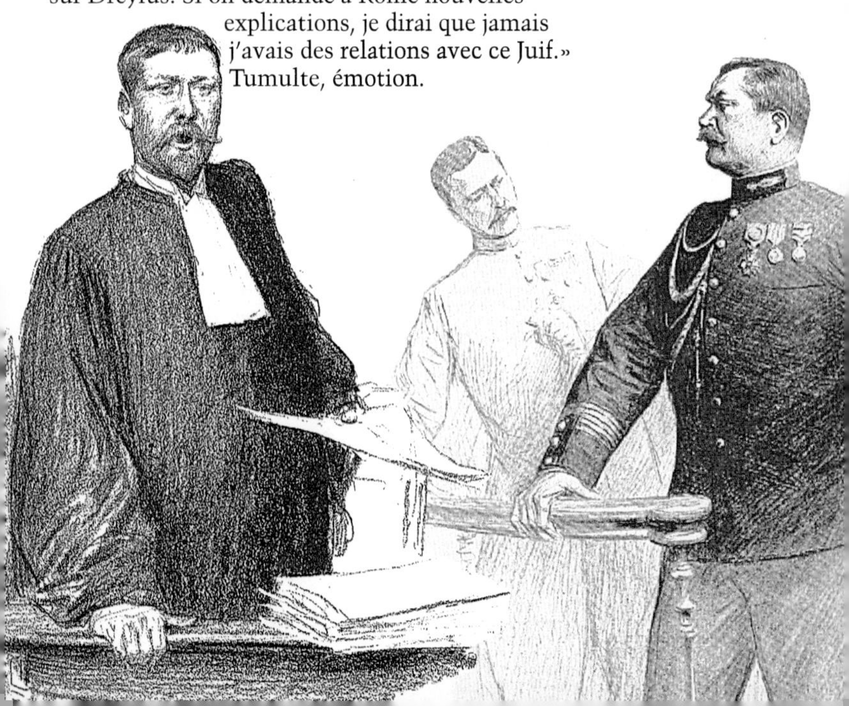

Au procès Zola, on assiste à une rude empoignade entre le lieutenant-colonel Henry (ci-contre, à la barre) et son ancien chef, le lieutenant-colonel Picquart (à la droite d'Henry) qui témoigne en faveur de Zola. Le premier, trapu, robuste, engagé volontaire, s'est battu au cours de dix-huit campagnes ; le second, qui a dix ans de moins, grand et élégant, est sorti de Saint-Cyr et a participé, comme Henry, aux campagnes d'Afrique et du Tonkin. Maître Leblois (derrière Henry), l'ami de Picquart, alsacien comme lui, est aussi présent à ce procès.

Labori demande à voir ce document. Le général de Boisdeffre vient confirmer en personne son authenticité et demande au jury d'avoir confiance en l'armée. Zola est condamné à un an de prison et s'enfuit en Angleterre.

La flambée antisémite

Comme une traînée de poudre, les manifestations antisémites se déclenchent immédiatement à travers toute la France. Cette marée, en cette année-charnière qu'est 1898, est soutenue par une presse nationale largement hostile à Dreyfus, qui comprend *L'Eclair*, *La Patrie*, *L'Intransigeant*, *La Libre Parole*, *Le Jour*, *La Croix* et ses éditions de province, *Le Petit Journal*, *Le Petit Parisien*, *Le Matin*, soit un tirage global quotidien d'environ cinq millions d'exemplaires.

La France n'avait pas connu depuis au moins 1832 des troubles antisémites identiques. Entre janvier et février 1898, des émeutes éclatent

dans cinquante-cinq villes, y compris Paris.
La première vague se déclenche à la mi-janvier et touche aussi bien Paris que Marseille, Bordeaux, Nantes, Rouen, Lyon, Perpignan, Nancy ou Angers. Le dimanche 23 janvier, des manifestations moins violentes se déroulent, en particulier à Dijon et dans l'est de la France, à Saint-Dié, ou encore à Epinal. La dernière vague, plus limitée, atteint notamment Bar-le-Duc et Dieppe en février. Tantôt, de petits groupes de manifestants se précipitent dans les rues en criant «Mort aux Juifs !», «A bas Zola!», «La France aux Français !», tantôt de vastes foules rassemblant plusieurs milliers de personnes, comme à Angers, Marseille, Nantes, Rouen, ou encore Bar-le-Duc, envahissent les artères et détruisent, en entonnant les mêmes slogans vengeurs, aussi bien les synagogues que les résidences des rabbins ou encore les magasins de commerçants juifs.
Les rapports de police font craindre une nouvelle Saint-Barthélemy. La population juive est terrorisée et souvent physiquement agressée. Les blessés sont nombreux. Partout on incendie. Jusqu'à la fin de l'année, la peur s'installe. Elle ne cessera pas de sitôt. En 1902 encore, des foules de plusieurs milliers de personnes manifestent à Paris, s'assemblent devant les différentes mairies, arpentent les boulevards

La marée antisémite qui touche tant de villes, pour violente qu'elle soit, ne provoque pas mort d'homme, tandis que durant cette période, on assassine impitoyablement près de deux cents Italiens. D'inspiration plus politique, le nationalisme antisémite souhaite d'abord abattre la république pour mieux toucher ses alliés. Au contraire, en Algérie, les brutalités provoquent plusieurs morts d'hommes. Drumont se fait triomphalement élire député d'Alger (ci-dessous). D'autres députés antijuifs sont élus à Oran, Constantine, etc.

aux cris de «Mort aux Juifs !», «Vive l'armée». Place de l'Opéra, plus de dix mille personnes acclament Drumont et hurlent «Mort aux Juifs !» Des portraits caricaturaux de Dreyfus sont projetés par plusieurs grands journaux sur des panneaux lumineux, dans ce même quartier ou encore rue Montmartre, suscitant la colère de la foule. C'est dire que le camp nationaliste trouve longtemps dans l'Affaire un prétexte pour se faire entendre haut et fort alors même que le camp républicain, désormais rallié au dreyfusisme, parvient enfin à s'imposer au niveau national.

Le paroxysme algérien

En Algérie, les événements prennent une tournure encore plus tragique : on compte cette fois des morts. Alimentée par la participation croissante d'immigrés récents d'origine espagnole ou italienne, la violence antisémite semble devenir irrésistible. Le courant antisémite très ancien s'alimente du rejet du décret Crémieux d'octobre 1870, donnant aux Juifs algériens la nationalité française, les transformant, par conséquent, en citoyens français, les intégrant à l'espace public et leur donnant accès aux différents scrutins électoraux. Les troubles sont ici monnaie courante : les plus récents ont éclaté entre 1881 et 1885. L'Affaire accentue cette hostilité : dès 1897, des pillages et des

Durant toute cette période, Edouard Drumont jouit d'une popularité sans limite. Créateur d'un national-populisme, son influence touche aussi bien les catholiques conservateurs que les milieux ouvriers socialisants. Pour Maurras, «la formule nationaliste est née presque tout entière de lui ; et Daudet, Barrès, nous tous, avons commencé notre ouvrage sous sa lumière». Drumont, selon l'expression de Robert Brasillach, est le «précurseur génial du national-socialisme français». Lucien Rebatet déclare en 1944 : «J'admire Hitler. Dans la lutte contre les foutaises du XIXe siècle, Hitler a eu d'innombrables devanciers plus brillants que lui, parmi lesquels Drumont.»

violences éclatent dans de très nombreuses régions. On crie toujours «Mort aux Juifs !», on brûle des effigies de Dreyfus.

En 1898, comme dans l'Hexagone, les choses prennent une tout autre tournure. A la fin janvier, près de six mille personnes suivent le nouveau chef de la Ligue antijuive d'Alger, le très jeune Max Régis, qui n'hésite pas à écrire : «Nous arroserons, s'il le faut, de sang juif l'arbre de notre liberté.» Sa popularité est telle qu'en mai 1900, il sera élu maire de cette ville. Une véritable chasse à l'homme s'organise. Des scènes d'émeutes se produisent aussi à Sétif, Blida ou Oran. La troupe laisse presque toujours faire.

Contre la «république juive»

En Algérie, comme sur le continent, ces émeutes ont un caractère populiste très marqué. Parmi les émeutiers, on trouve aussi bien des employés que des artisans et des petits commerçants, des ouvriers animés par un socialisme biaisé de valeurs antisémites. Bien souvent, ce sont des manifestants appartenant au petit peuple qui, à la suite de violences, sont arrêtés. Ces foules nationalistes sont fréquemment menées par des conscrits, des officiers ou des étudiants. Patriotisme et nationalisme se mêlent dans une commune défense de l'armée, instrument de la revanche. Ayant les uns et les autres pour ambition d'expulser ces traîtres en puissance que sont, à leurs yeux, les Juifs de France, les participants à ces actions collectives s'en prennent aux biens, usent de la force. Mais ils semblent tout attendre de la conquête de l'Etat, de la destruction de cette «république juive», considérée comme étrangère à l'identité nationale, l'ennemi irrémédiable du petit peuple de France. En février 1898, le député Denis propose à ses collègues de voter l'exclusion des Juifs de l'administration. Il recueille deux cents suffrages.

Le groupe parlementaire qui se dénomme officiellement antisémite, de même que les ligues ou encore les mouvements qui en structurent l'action, visent, par-delà Alfred Dreyfus et les Juifs français, un Etat considéré comme l'ennemi du «pays réel».

Alors que les élections législatives de 1902 marquent, à l'échelon national, la victoire du camp républicain, à Paris la droite nationaliste triomphe.

Les diverses tentatives de coup d'Etat qui ponctuent cette période agitée en sont la preuve. En février 1899, lors des obsèques de Félix Faure, en août 1899, lors du procès de Rennes, Déroulède, le chantre du nationalisme, avec l'aide de diverses ligues, tente de s'emparer du pouvoir. Il compte, pour ce faire, sur la complicité active de l'armée. Celle-ci ne bougera pas, car si plusieurs de ses dirigeants n'ont pas hésité devant la forfaiture, l'institution, elle, repousse l'aventure.

Les impressionnantes manifestations nationalistes sur les Grands Boulevards, qui donnent lieu à des affrontements avec la police dirigée par le préfet Lépine, sont d'une grande violence.

L'explosion des ligues

Ce refus de passer à l'acte, de franchir le Rubicon, montre que cette armée qui condamne Dreyfus et dont les chefs professent souvent des valeurs antisémites sait aussi résister à la pression des ligues. L'Affaire leur a pourtant donné un coup de fouet. Si plusieurs d'entre elles, comme la Ligue des patriotes, ou encore l'Union nationale dirigée par l'abbé Garnier, sont nées un peu auparavant, leur explosion épouse les temps forts de l'Affaire.

La Ligue antisémitique française, dirigée par Jules Guérin, voit le jour en février 1897. Avec le marquis de Morès et ses célèbres bouchers, ses militants font preuve, pour la défense du catholicisme, d'une grande combativité. Organisés militairement, entraînés à l'action, ils constituent une force d'autant plus redoutable qu'ils agissent en accord avec les membres de l'Union nationale, de la Jeunesse royaliste, de la Fédération antisémitique des lycées ou de la Jeunesse antisémitique de France, laquelle deviendra peu après le Parti national antijuif, mené par Edouard Dubuc. Leur stratégie est élaborée à l'échelon national et peut

Autour de Déroulède, la Ligue des patriotes, fondée le 18 mai 1882, bénéficie au début de l'appui de républicains comme Victor Hugo, Gambetta ou Ferdinand Buisson. Sa devise est «Pour la patrie, par le livre et par l'épée». Déroulède rejette néanmoins le parlementarisme et, à partir de 1886, pousse la Ligue à un recrutement urbain, dans le camp nationaliste. Elle joue un rôle essentiel dans la mobilisation boulangiste. Si, après son interdiction en mars 1889, elle s'efface pendant l'Affaire devant d'autres ligues, Déroulède n'en poursuit pas moins ses tentatives de coup d'Etat.

L'épisode de Fort-Chabrol résulte du sursaut républicain. Waldeck-Rousseau ayant ordonné, en août 1899, l'arrestation des dirigeants nationalistes, Jules Guerin, le chef de la Ligue antisémitique française, s'enferme avec quelques hommes armés dans les locaux de *L'Anti-Juif*, rue Chabrol, dont il est le directeur. Il mène une résistance de trente-huit jours face aux policiers (ci-contre) qui sont attaqués, de l'extérieur, par les troupes de Morès. Les assiégés sont ravitaillés par de nombreux sympathisants. La reddition a lieu le 20 septembre.

s'appuyer sur d'innombrables organisations régionales, telles la Ligue antisémitique du Poitevin, la Ligue patriotique antisémite de Nantes, etc.

De véritables alliances se nouent au nom de la défense de l'identité catholique de la nation française et donnent naissance à un populisme qui recrute très large. A Paris, comme en province, on trouve très fréquemment à la tête de ces organisations nationalistes hétérogènes des curés tout dévoués à la cause de Drumont, qui exerce sur les ligues une influence prépondérante. Cette militarisation de l'action politique constitue une première. Elle préfigure le type d'intervention de l'Action française – dont les fondements sont posés dès 1899 – et de ses Camelots du

Jeux de l'oie, papiers à cigarette diffusent massivement une certaine vision de l'Affaire.

Roi aux méthodes toutes militaires. Elle annonce l'entrée en lice des organisations nationalistes des années 1930, désireuses elles aussi d'en finir avec la république.

La propagande dans tous ses états

La marée qui déferle sur la France s'accompagne d'une véritable explosion de la presse. Le plus souvent hostile au capitaine Dreyfus, celle-ci façonne l'opinion publique, provoque l'attention, fait flèche de tout bois pour augmenter son tirage, par le scandale, la diffusion des bobards et la simplification des événements. Pendant l'Affaire, la presse exerce pour la première fois un pouvoir

redoutable aux effets imprévisibles.

La photographie est immédiatement mise au service des diverses propagandes. Les photos les plus fortes sont reproduites de manière massive dans la presse, les pamphlets, les affiches. Ainsi l'affiche «Dreyfus est un traître» se trouve reproduite à cent trente-six mille exemplaires. Grâce aux progrès techniques, on truque les photos pour emporter la conviction. C'est aussi l'âge d'or de la caricature avec laquelle on décoche les flèches les plus acérées. Les plus grands artistes s'emparent de ce moyen d'expression. Dans chaque camp, on élabore de véritables bandes dessinées ou des albums colorés. On vend de nombreux jeux : un nez de Mathieu Dreyfus que l'on peut manipuler indéfiniment, des échafauds miniature qui permettent de couper soi-même la tête du capitaine félon, des jeux de l'oie de toutes sortes aux parcours et aux conclusions contradictoires. Les objets les plus inattendus, des éventails aux pipes ou au papier de cigarette, servent également de support à cette propagande. Tout se vend. Le commerce prospère.

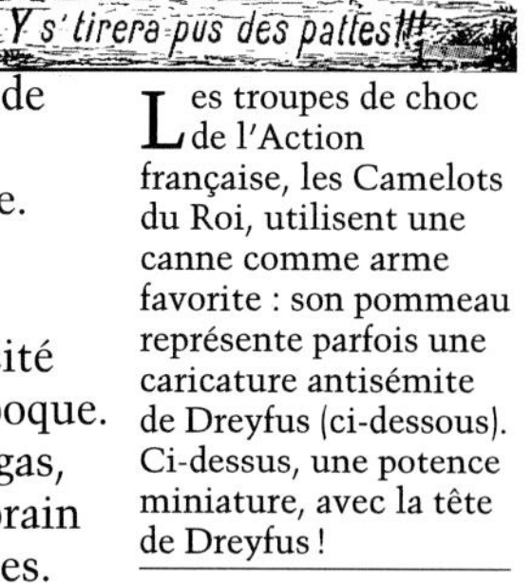

Les troupes de choc de l'Action française, les Camelots du Roi, utilisent une canne comme arme favorite : son pommeau représente parfois une caricature antisémite de Dreyfus (ci-dessous). Ci-dessus, une potence miniature, avec la tête de Dreyfus !

Artistes et écrivains dans la bataille

Bataille idéologique impitoyable, l'Affaire a suscité l'engagement des artistes les plus réputés de l'époque. Beaucoup rejoignent le camp antidreyfusard. Degas, Renoir, Cézanne, Toulouse-Lautrec, Steinlen, Forain ou Rodin se retrouvent aux côtés des nationalistes. D'autres comme Pissarro, Monet, Signac, Vuillard ou Emile Gallé soutiennent la cause du capitaine, rejoints par des écrivains comme Anatole France ou Marcel Proust qui assiste lui-même au procès Zola. L'exemple d'Edgar Degas est particulièrement intéressant. Devenu férocement antisémite, il se fait lire par sa servante Zoé, chaque matin, à son petit déjeuner, avec délectation, des extraits de *La Libre Parole* ou de *L'Intransigeant.* Ces prises de position n'ont guère de retentissement dans son œuvre picturale

FRANCE : 15 CENTIMES

BUREAUX

ABONNEMENTS

LE GRELOT

Voir en tête de la deuxième page les conditions auxquelles on peut recevoir gratuitement le GRELOT

TABLEAU DE L'AMOUR CONJUGAL

L'Affaire divise à tel point la société française que les couples eux-mêmes se déchirent. De même, dans les dîners en ville, dès que l'on parle de l'Affaire, les passions se déchaînent autour de la table. Il est vrai que l'explosion de la presse (ci-dessous *L'Age du papier* de Félix Vallotton, publié dans *Le Cri de Paris* dix jours après le «J'accuse») accentue cette tension qui traverse les classes comme les familles.

elle-même, contrairement à Steinlen ou à Forain. Les diverses péripéties de l'Affaire inspirent à Proust *Jean Santeuil* ainsi que de longs passages de la *Recherche du temps perdu* et à Anatole France *L'Ile aux pingouins* et *Monsieur Bergeret à Paris*.

Les académiciens rejoignent le camp nationaliste

Degas, Cézanne ou Renoir ne sont pas seuls. La marée antisémite, qui menace un instant de submerger la société française, se trouve brusquement légitimée par l'entrée en lice des académiciens qui apportent au camp antidreyfusard le poids de leur autorité institutionnelle. Contre la mobilisation des intellectuels en faveur de Dreyfus et de Zola, les événements de 1898 poussent à la radicalisation. En janvier 1899, à l'initiative de Maurice Barrès, naît la Ligue de la patrie française, qui attire vers elle un nombre impressionnant de grandes signatures : vingt-deux académiciens en deviennent membres, dont François Coppée, Albert Sorel, Paul Bourget, Jules Lemaître, Ferdinand Brunetière, José Maria de Heredia et Albert de Mun, des membres de l'Institut, ainsi que Degas, Renoir, Mistral, Pierre Louÿs, Forain, Jules Verne, Vincent d'Indy, etc. Rassemblant environ cinq cent mille adhérents, s'appuyant sur une presse capable de toucher deux millions de lecteurs, cette nouvelle ligue nationaliste connaîtra pourtant un rapide déclin au tournant du siècle.

Très logiquement, l'Action française va lui succéder, drainant vers elle un nombre tout aussi étonnant d'académiciens ou de membres de l'Institut qui viendront renforcer considérablement son prestige.

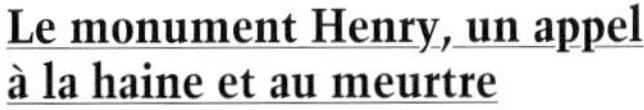

Le monument Henry, un appel à la haine et au meurtre

Cette propension de noms illustres, appartenant souvent à des institutions prestigieuses, ou d'artistes célèbres à rallier les organisations les plus hostiles à la république apparaît à nouveau dans le monument Henry. Celui-ci rassemble les listes de souscripteurs, qui, à la fin de cette même année 1898, ont envoyé leur obole à *La Libre Parole* pour venir en aide à la veuve du commandant Henry, lequel s'est suicidé, après que sa

Le poète François Coppée (ci-dessous), parnassien de grand prestige, devient président de la Ligue de la patrie française. Les académiciens ou les membres de l'Institut et du Collège de France adhèrent dans des proportions si impressionnantes que

Jaurès présente la Ligue comme un «album de la défense sociale». Si, aux côtés de Coppée figurent bien des auteurs qui n'appartiennent pas à l'avant-garde, il n'empêche que, dans les milieux symbolistes, un Pierre Louÿs est antidreyfusard et un Alfred Jarry ne cache pas son antisémitisme. Brouillant toutes les pistes, un Anatole France ou un Emile Zola, auteurs reconnus, deviennent d'ardents dreyfusards.

DREYFUS EST UN TRAITRE

Vive la France!

VIVE LA RÉPUBLIQUE!

Général MERCIER

« Des notes que j'ai eues en ma possession m'ont révélé qu'un officier des bureaux de l'État-Major avait communiqué à une puissance étrangère des documents dont il avait eu connaissance en vertu de ses fonctions.

« Je l'ai fait arrêter. »

Général MERCIER, Ministre de la Guerre.
(Novembre 1894.)

Général BILLOT

« Dreyfus, en mon âme et conscience de soldat et de chef de l'armée, Dreyfus est coupable! Dreyfus est un traître! »

Général BILLOT, Ministre de la Guerre.
(Décembre 1896. — Déclaration à la Chambre des Députés.)

M. CAVAIGNAC

« J'ai la certitude absolue de la culpabilité de Dreyfus! »

CAVAIGNAC, Ministre de la Guerre.
(7 juillet 1898. — Discours à la Chambre des Députés.)

« Je demeure convaincu de la culpabilité de Dreyfus et aussi résolu que précédemment à combattre la revision du procès. »

CAVAIGNAC, Ministre de la Guerre.
(4 septembre 1898. — Lettre de démission adressée au Président du Conseil, M. Brisson.)

VIVE L'ARMÉE!

A BAS LES TRAITRES!

Général ZURLINDEN

« L'étude approfondie du dossier judicia[…] Dreyfus m'a trop convaincu de sa culpabilit[…] que je puisse accepter, comme chef de l'a[…] toute autre solution que celle du maintien in[…] du jugement. »

Général ZURLINDEN, Ministre de la Guer[…]
(17 septembre 1898. — Lettre au Président du Con[…] M. Brisson.)

Général CHANOINE

« Puisqu'on a parlé de cette affaire néfaste d[…] laquelle mes prédécesseurs se sont retirés, je d[…] que je respecte la séparation des pouvoirs pol[…] et judiciaire : j'ai le respect de la chose jugée. […] j'ai le droit aussi d'avoir mon opinion. **Elle […] conforme à celle de mes prédé[…]seurs.**

Général CHANOINE, Ministre de la Guerr[…]
(25 Octobre 1898. — Discours à la Chambre des Dép[…])

En dépôt : 3, rue Saint-Joseph.

DREYFUS EST INNOCENT

LES DÉFENSEURS DU DROIT, DE LA JUSTICE ET DE LA VÉRITE

VIVE LA FRANCE!

VIVE LA RÉPUBLIQUE!

L. TRARIEUX

ÉMILE ZOLA

« La Vérité est en marche, rien ne l'arrêtera! »

SCHEURER-KESTNER

YVES GUYOT

GEORGES CLÉMENCEAU

LIEUTENANT-COLONEL PICQUART

« Je n'emporterai pas dans la tombe un pareil secret. »

Le colonel Picquart au général Gonse.

JOSEPH REINACH

Par la Vérité, vers la Justice!

JEAN JAURÉS

VIVE L'ARMÉE!

A BAS LES TRAITRES!

BERNARD LAZARE

FERNAND LABORI

FRANCIS DE PRESSENSÉ

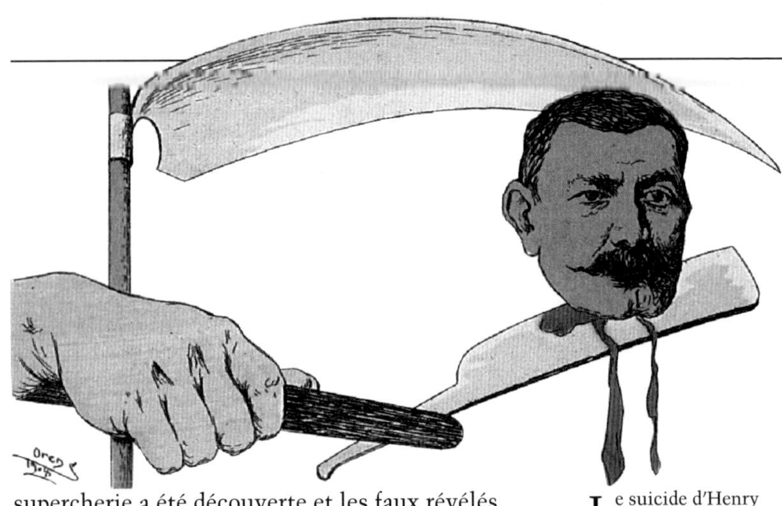

supercherie a été découverte et les faux révélés. Cette liste globale de vingt-cinq mille noms demeure le symbole même du nationalisme antisémite fin de siècle. Les donateurs se recrutent dans l'armée, parmi les membres de l'Eglise ou ceux de l'aristocratie, mais aussi dans la population estudiantine, le monde des employés, du personnel de service, etc. Parmi eux,

DÉVOUEMENT A LA PATRIE

du Colonel HENRY

SOUSCRIPTION PUBLIQUE

POUR UN MONUMENT A LUI ÉLEVER

M. CAVAIGNAC, Ministre de la Guerre....................

MM. C. L. X. .... 100 Fr.

on trouve aussi bien Maurice Barrès qu'Albert de Mun mais aussi Paul Valéry, Pierre Louÿs ou Paul Léautaud, qui n'hésitent pas à joindre leurs noms aux appels au meurtre lancés par presque tous les souscripteurs. Une «cuisinière jubilerait de tenir les Juifs dans ses fourneaux», un médecin propose de les «écorcher vifs», un autre de pratiquer la vivisection. Nombreux sont ceux qui veulent les pendre, les

Le suicide d'Henry (caricature ci-dessus) a tellement surpris que beaucoup ont soutenu, contre toute vraisemblance, qu'il avait été assassiné ; l'absence d'autopsie a renforcé les soupçons. Dans *La Croix*, on propage ouvertement cette thèse et l'on accuse les Juifs, qui auraient voulu le faire taire. Maurras soutient de son côté que le faux a un caractère «patriotique». *La Libre Parole*, *Le Petit Journal* ou *L'Eclair* plaident dans le même sens. La souscription publique en la mémoire d'Henry, «officier français tué, assassiné, par les Juifs», en est d'autant plus enthousiaste. Passé de la Commune au boulangisme et à l'antisémitisme militant, Rochefort (ci-dessus, à droite) ne souscrit pourtant pas.

massacrer, les mitrailler, les envoyer en train en Allemagne. On supplie ici de rallumer les bûchers du Moyen Age, de passer les Juifs à l'huile bouillante ou de les empoisonner. D'autres signataires souhaitent transformer la peau des Juifs «en paires de bottes ou en descentes de lit», d'utiliser leur corps pour en faire de la bouillabaisse ou encore des pâtés.

Les Juifs, entre passivité et engagement

Devant tant de violences, que peuvent les Juifs ?

Au début de l'Affaire, les Dreyfus sont bien seuls. Autour de la famille, dont la solidarité dans l'épreuve sera sans faille malgré les menaces et les coups, les premiers alliés sont eux-mêmes juifs : Joseph Reinach, personnage important du monde politique «opportuniste», mais aussi Bernard Lazare, poète anarchiste que Mathieu a su convaincre, le sociologue Lévy-Bruhl ou Victor Basch, le futur président de la Ligue des droits de l'homme. Le monde juif semble craindre que le procès ne porte ombrage au long processus d'assimilation, qu'il remette en question la symbiose exceptionnelle que constitue le franco-judaïsme. Plus tard, Charles Péguy, dans *Notre Jeunesse*, Léon Blum, dans *Souvenirs sur l'Affaire*, ou encore Hannah Arendt, dans son livre *Sur l'antisémitisme*, porteront des jugements sévères sur la lâcheté supposée de ces Juifs parvenus aux sommets de l'Etat ou qui ont su s'intégrer à la bourgeoisie en préférant le silence à l'action.

Pourtant, ceux-ci tentent de réagir rapidement. Sous la direction d'un ancien préfet, Isaïe Levaillant, et en accord avec le grand rabbin Zadoc Kahn, certains

Victor Basch (ci-dessous) est professeur au lycée de Rennes. Membre de la Ligue des droits de l'homme, il en sera, de 1926 à 1944, le président. Il évoque fréquemment «le grand souffle de l'Affaire». Entré dans la Résistance, il est assassiné par la Milice de Lyon, dont Paul Touvier, fils d'un antidreyfusard, est alors l'un des principaux responsables.

Si Joseph Reinach (à gauche) et Bernard Lazare (à droite) luttent ensemblent en faveur de Dreyfus, leur rapport au judaïsme les éloigne l'un de l'autre. Profondément intégré à la nation France, Reinach écrit : «Comme il n'y a ni race juive ni nation juive, comme il y a seulement une religion juive, le sionisme est bien une sottise, une triple erreur historique, archéologique, ethnique.» Bernard Lazare, au contraire, rencontre Herzl, adhère au sionisme et prononce des conférences où il prône la rejudaïsation des Juifs en une nouvelle nation. Il assiste, en 1898, au second congrès sioniste à Bâle (en bas à droite, une carte de participant) puis rompt avec Herzl en l'accusant d'être trop bourgeois, trop favorable aux compromis politiques. «Si je me suis retiré de l'action sioniste au sens strict, le travail de toutes mes heures et de tous mes jours est consacré au peuple juif», écrit-il, en juin 1901, à Chaïm Weizmann, le futur président de l'Etat d'Israël.

d'entre eux se réunissent même et s'efforcent de trouver des moyens pour faire face. Seuls, ou presque, en ce début de l'Affaire, la tâche est impossible.

L'Affaire, ferment du sionisme?

Futur fondateur du mouvement sioniste, Theodor Herzl assiste à la dégradation en tant que journaliste; si ses convictions ont déjà été façonnées par sa connaissance de la scène autrichienne, il reconnaît s'éloigner de la cour de l'Ecole militaire «sous l'étreinte d'une bizarre émotion». Si, même dans la France de 1789, une telle haine peut éclater à l'encontre d'un polytechnicien, français et juif, alors il faut se hâter de trouver une autre solution. C'est d'ailleurs à Paris que Herzl rédige, en juin 1895, un aide-mémoire posant les bases de son livre *L'Etat des Juifs*, publié le 14 février 1896, à Vienne. Dans cet ouvrage qui donne véritablement naissance au projet sioniste, il souligne à quel point les persécutions antisémites répondent à la dispersion des Juifs : «Cela est vrai et restera vrai, ajoute-t-il, partout, même dans les pays les plus développés – la France en administre la preuve.»

L'Affaire joue, par conséquent, un rôle symbolique essentiel dans la mise en œuvre du mouvement sioniste. Par la violence qu'elle déchaîne, elle détourne de la France une partie des immigrants juifs de l'Europe de l'Est, qui ne reconnaissent plus la patrie des droits de l'homme. Mais, en France même, bien qu'un Bernard Lazare adhère temporairement, avec enthousiasme, au projet sioniste, lui le théoricien anarchiste révolutionnaire venu si tôt à l'aide de Dreyfus, un Joseph Reinach, Juif d'Etat par excellence et autre allié fidèle du capitaine, en condamne irrémédiablement le principe. Et si, au tournant du siècle, ce mouvement suscite un réel intérêt philanthropique, si même de rares hauts fonctionnaires comme André Spire ou, plus tard, Léon Blum, adhèrent à l'organisation sioniste, les Juifs français, à l'image du capitaine Dreyfus, vont dans l'ensemble demeurer fidèles au franco-judaïsme républicain, à la tradition universaliste de 1789. La victoire de la république va sembler leur donner raison.

Dans l'esprit de Herzl (portrait ci-dessous), qui s'inspire des modèles prussien ou français, il s'agit de construire un nouvel Etat-nation dont les Juifs seraient citoyens et qui assurerait leur «régénération». Son sionisme politique met l'accent sur l'Etat au détriment de la culture, de la langue ou encore, du territoire. Son rival, Ahad-ha-Am, insiste, au contraire, sur le préalable du renouveau culturel des Juifs assimilés afin de construire ensuite un Etat juif, et s'attache à la renaissance de l'hébreu comme langue parlée. D'autres tendances mettent l'accent sur le retour à la religion, la dimension communautaire ou, dans une perspective marxiste, l'opposition entre les classes dans la future société juive.

Neue

Freie Presse.

A la bravoure, au devouement
fraternel
A Dreyfus

Le premier cercle des dreyfusards s'est enfin élargi. Plusieurs années se sont écoulées depuis le procès inique de décembre 1894. Des «solitaires», des intellectuels, des juges intègres, Jaurès enfin, prennent à partie les dirigeants de la république, les incitent à se ressaisir, à se montrer fidèles aux idéaux des pères fondateurs. A l'approche de l'Exposition universelle, il en va aussi de la réputation de la France.

CHAPITRE IV

LA VICTOIRE DE LA RÉPUBLIQUE

Le grand défilé par lequel le gouvernement mais aussi les syndicats et le Paris populaire célèbrent l'inauguration de la statue de Jules Dalou *Le Triomphe de La République* (ci-contre), le 19 novembre 1899, est de bon augure : après sa grâce, Dreyfus obtiendra bientôt la reconnaissance de son innocence.

Les intellectuels et les savants au secours de la république

Dans la grande tradition du siècle des Lumières, ce sont les intellectuels qui s'engagent, au nom de l'éthique et du rationalisme. Après l'acquittement d'Esterhazy et la condamnation de Zola, plusieurs pétitions sont publiées par *L'Aurore* puis par d'autres journaux en faveur de la révision du procès Dreyfus et pour défendre aussi bien Zola que Picquart, l'officier courageux qui n'obéit qu'à sa conscience. Aux côtés d'Anatole France, seul membre de l'Académie française, ce sont surtout des enseignants qui rejoignent publiquement, en cette

Lucien Herr, bibliothécaire à l'Ecole normale supérieure (ci-dessus), anime le combat des intellectuels dreyfusards. Ce «solitaire de Port-Royal» qui appartient à la mouvance socialiste réplique à l'article de Barrès dénonçant les «intellectuels» : «La foi en un idéal humain [...] balaiera les haines absurdes que surexcitent les malhabiles.» Avec Emile Duclaux, autre normalien «solitaire», directeur de l'institut Pasteur et membre de l'académie de Médecine (en bas à droite), il contribue à lancer la grande pétition de janvier 1898 en faveur de la révision du procès.

période si tendue, le combat dreyfusard : l'Ecole normale supérieure, sous l'influence de Lucien Herr et de Charles Andler, fournit les gros bataillons tout comme la Sorbonne ou encore l'école des chartes. Un certain nombre d'écrivains et d'artistes, tels Octave Mirbeau, Paul Fort, Claude Monet ou Emile Gallé, ainsi que quelques revues, comme *La revue blanche* ou *Le Banquet,* apportent leur appui. La librairie Bellais, située rue Cujas et fondée par Charles Péguy, devient le centre de ralliement de tous ces passionnés de justice, des étudiants du quartier Latin s'organisant pour leur venir en aide en cas d'agression des ligues.

La librairie Bellais et *La revue blanche* constituent les lieux d'action favoris de nombre d'intellectuels dreyfusards. Dirigée par Péguy (ci-contre), la librairie est aussi animée par Léon Blum, Lucien Herr, Paul Langevin ou Romain Rolland. *La revue blanche*, fondée par les frères Natanson, ouvre ses colonnes aussi bien à Léon Blum qu'à Lucien Herr, Charles Péguy, Julien Benda ou Octave Mirbeau, passé de l'antisémitisme au dreyfusisme militant.

A vrai dire les savants mènent, plus que quiconque, la danse. Les membres de l'Institut Pasteur, autour d'Emile Duclaux, mais aussi les chimistes, les mathématiciens, tous adeptes d'une recherche scientifique, mettent ainsi leur compétence au service de la vérité. Des historiens, Charles Seignobos, Gabriel Monod – le directeur de *La Revue historique*, qui sera longtemps, comme partisan de la révision mais aussi comme protestant, la cible favorite de Charles Maurras –, des sociologues, comme Emile Durkheim, Lévy Bruhl ou Célestin Bouglé, des économistes, comme François Simiand, entrent dans la bataille au nom du respect des règles de la méthode scientifique. Ils ne peuvent accepter la folie dominante. Même si cette galaxie dreyfusarde est fortement hétérogène, elle trouve son principe unificateur dans son refus de l'obscurantisme. Les «intellectuels» qui la composent – terme utilisé par Maurice Barrès pour tourner en dérision leur mode d'intervention ainsi que leur pure préoccupation morale – entendent s'opposer pour la première fois collectivement à toutes les formes de répression menée au nom des sacro-saintes traditions.

La naissance de la Ligue des droits de l'homme et du citoyen

Ces intellectuels adhèrent en masse à la toute nouvelle Ligue des droits de l'homme et du citoyen, qui s'organise, en février 1898, pour la défense de l'universalisme, autour de Ludovic Trarieux. Cet ancien ministre de la justice, hostile aux socialistes et aux grévistes, en sera pourtant le premier président, entouré d'Emile Duclaux, d'Havet et de Meyer, du Collège de France, de Seignobos, de Durkheim mais aussi de Paul Viollet, qui incarne à lui seul le petit groupe des catholiques libéraux dreyfusards et fondera, peu après, le Comité catholique pour la défense du droit. En s'organisant rapidement au

Les fondateurs de la Ligue des droits de l'homme sont des modérés, à l'image de son président, Ludovic Trarieux (ci-dessous). Ancien ministre de la justice qui poursuivait les mineurs durant les grèves de 1895, il entend s'appuyer sur le droit, et s'oppose à Francis de Pressensé (ci-contre), diplomate d'origine protestante, qui souhaite organiser des manifestations contre la justice militaire. La Ligue fait néanmoins l'objet de perquisitions et des poursuites judiciaires sont engagées contre ses deux vice-présidents, Duclaux et Grimaux (en haut, à droite).

GRANDE
MANIFESTATION
EN FAVEUR DE LA LUMIÈRE ET DE LA VÉRITÉ
sous la Présidence de
OCTAVE MIRBEAU
avec le Concours de :
FRANCIS DE PRESSE

niveau national, il s'agit d'abord de venir au secours de Dreyfus et de Picquart mais aussi de défendre la république, attaquée par le mouvement nationaliste, de renforcer les idéaux émancipateurs de 89, de venir en aide à toute personne «dont la liberté serait menacée ou dont le droit serait violé». Par-delà Dreyfus, et très rapidement, la Ligue agit en faveur des forçats de Guyane ou des colonisés de Madagascar. En 1903, le protestant Francis de Pressensé, dreyfusard et socialiste, accède à la tête de la Ligue et accentue cette orientation universaliste. L'entrée de catholiques libéraux aux côtés de Juifs et de protestants témoigne d'une certaine unité dans la défense de Marianne. Emancipés eux aussi par la Révolution française, les protestants rejettent, en général, les valeurs nationalistes. D'Auguste Scheurer-Kestner à Gabriel Monod ou Francis de Pressensé en passant par Louis Leblois, le souvenir des persécutions passées est loin d'être un simple rituel et trouve encore un écho important chez nombre de pasteurs qui, dans leurs déclarations en chaire comme dans leurs écrits, comparent sans cesse Dreyfus à Calas et évoquent les temps d'intolérance de la Saint-Barthélemy.

Le ralliement de Jaurès

Les choses bougent donc rapidement : face à la grande mobilisation des ligues nationalistes, d'inspiration souvent catholique, les intellectuels et les savants d'inspiration laïque peuvent compter sur des appuis multiples. Dans ce moment capital, ils voient aussi venir

On trouve à la Ligue des personnalités très différentes. Yves Guyot (le second ci-dessous) fonde sous l'Empire le journal *Les Droits de l'Homme* puis s'oppose au boulangisme. Devenu directeur du *Siècle*, il participe ardemment au combat dreyfusard

avant de retourner aux questions industrielles et financières dont il est un spécialiste. Au contraire, Séverine (ci-contre) a été boulangiste ; libertaire et antiparlementaire, elle écrit même dans *La Libre Parole*. Elle rejoint *La Fronde*, journal rédigé uniquement par des femmes créé par Marguerite Durand, et publie ses «notes d'une frondeuse» en faveur de Dreyfus.

JEUDI 1er SEPTEMBRE, à 8 h. 1/2 du soir

SALLE CHAYNE, 12, Rue d'Allemagne

GRAND MEETING

CONTRADICTOIRE

ORDRE DU JOUR :

1° L'INNOCENCE DE DREYFUS ;

2° Le Véritable Traitre : ESTÉRHAZY ;

3° Pourquoi on ne veut pas la révision.

Peu avant le procès contre Zola, Méline insulte l'écrivain à la Chambre et déclare, jouant sur un titre de l'œuvre de Zola : «On n'a pas le droit de vouer au mépris les chefs de l'armée. C'est par de pareils moyens qu'on prépare de nouvelles éditions de la débâcle.» Jaurès réplique le 22 janvier 1898 (ci-dessous) : «Ceux qui préparent les futures débâcles [ce sont] ceux qui les commettent, hier généraux de cour protégés par l'Empire, aujourd'hui généraux de jésuitières protégés par la république [...] nous mourons tous [...] des équivoques, des mensonges, des lâchetés.» Une mêlée générale éclate entre les députés.

vers eux des dirigeants du mouvement socialiste, comme Jean Jaurès, qui n'avaient pas caché leur première hostilité à l'égard du capitaine Dreyfus. Jaurès qui, en décembre 1894 refusait de s'apitoyer sur le sort de Dreyfus «convaincu de trahison par un jugement unanime», alors qu'«on fusille sans grâce et sans pitié de simples soldats coupables d'une minute d'égarement et de violence», lui qui, le 19 janvier 1898, signe encore le *Manifeste* du groupe socialiste unanime – «Prolétaires, ne vous enrôlez dans aucun des clans de cette guerre civile bourgeoise, méfiez vous des "panamisants et des judaïsants"»vole au secours du camp dreyfusard, ce même mois, convaincu par Lucien Herr. Désormais il y consacre toute son énergie. En août, réconciliant socialisme et justice universaliste – Dreyfus est «l'humanité elle-même» –, il publie ses célèbres *Preuves* démontrant l'innocence du capitaine. Cette publication marque un tournant essentiel, non seulement de l'Affaire,

Cavaignac, le fils du ministre de la guerre qui réprima l'insurrection de 1848, est ici représenté en saint Georges terrassant le dragon dreyfusard.

Après le suicide d'Henry, Lucie Dreyfus demande la saisie de la Cour de cassation. La chambre criminelle de la Cour en accepte le principe le 29 octobre 1899. Le général Roget s'efforce, de même que Cavaignac, de démontrer la complicité d'Esterhazy et de Dreyfus et, avec l'état-major, soutient que le colonel Picquart a fait fabriquer le «petit bleu». Respectueuse du droit, indépendante, la Cour reste à l'abri des violentes pressions qui s'exercent sur elle.
A eux seuls, les juges font beaucoup pour préserver les valeurs républicaines que foulent aux pieds l'état-major et de nombreux hommes politiques. Les faux, les mensonges ou encore la défense de l'honneur d'Esterhazy, pas plus que les interventions du général Roget ou le dessaisissement de la Cour voté par le Sénat à la demande du président du Conseil Dupuy ne parviendront à arrêter le train de la vérité (caricature page suivante).

mais aussi d'un socialisme qui entre de plain-pied dans le combat républicain bien que les guesdistes, au nom de la seule défense des intérêts de classe, demeurent plus que jamais hostiles. De cette scission morale et stratégique du socialisme résulteront deux partis longtemps rivaux.

La découverte du faux : la révision inéluctable

Le 7 juillet 1898, Cavaignac, nouveau ministre de la guerre du gouvernement Brisson, dans un grand discours à la Chambre,réaffirme, dossier à l'appui, la culpabilité de Dreyfus. Or, le 13 août, le capitaine Louis Cuignet examine de près les pièces du dossier pour tenter de renforcer l'interprétation de son ministre. Brusquement, il s'aperçoit que la fameuse lettre envoyée par Panizzardi à Schwartzkoppen contenant une référence explicite à Dreyfus, avec cette phrase : «Je dirais que jamais j'avais des relations avec ce Juif», lettre brandie peu auparavant par Cavaignac devant les députés, est un faux grossier, les quadrillés du papier étant de couleur et de taille différentes.

Tout s'accélère. Le colonel Henry avoue puis se suicide, devenant le héros des nationalistes. Maurras écrit même : «Colonel, il n'est pas une goutte de votre sang précieux qui ne fume encore partout où palpite le cœur de la Nation.» Cavaignac démissionne.

Alfred Dreyfus conservait sur lui à l'île du Diable ce portrait de Lucie avec ses enfants.

Lucie Dreyfus dépose une requête en révision. Le 3 juin 1899, les chambres réunies de la Cour de cassation, constatant aussi que le «bordereau» «n'aurait pas été de Dreyfus», cassent et annulent le jugement du 28 décembre 1894, renvoyant le capitaine devant le conseil de guerre de Rennes. La joie du camp dreyfusard est immense. Picquart, emprisonné pour divulgation de documents depuis le 20 septembre 1898, est libéré. Zola rentre de son exil londonien. Le capitaine Dreyfus débarque en France. Il est conduit à Rennes où il retrouve enfin, après une si terrible séparation, sa femme Lucie, qui n'a cessé de le soutenir de ses lettres tendres. Bouleversés, ils se précipitent dans les bras l'un de l'autre.

Le second procès se déroule dans le lycée de Rennes à partir du 7 août 1899, dans une salle où, tout comme en 1894, trône un crucifix. L'ambiance est très tendue et l'armée, omniprésente. La défense de Dreyfus se déchire quant à la stratégie à adopter. Faut-il affronter de face l'armée ou se montrer conciliant et confiant ?

Au procès de Rennes, maître Demange (ci-dessous avec Dreyfus) termine ainsi sa plaidoirie : «Nous sommes français, nous sommes unis dans une même communion, c'est l'amour pour la patrie, c'est l'amour pour l'armée.» Zola, Picquart ou Clemenceau avaient davantage confiance en l'antimilitarisme de maître Labori. Les dreyfusards se déchirent.

Après la seconde condamnation de Dreyfus, on fête l'armée. Pour la première fois néanmoins, deux officiers sur cinq – le commandant de Bréon et le colonel Jouaust – ont voté contre. Barrès écrit : «Ne nous souvenons plus du traître que pour aimer ceux qui le châtièrent.»

Labori, partisan de la confrontation, est victime d'un attentat. A la demande de Mathieu Dreyfus, il renonce à plaider et laisse à un Demange, plus respectueux des institutions, le soin de la défense. Contre toute logique, Dreyfus est de nouveau condamné à dix ans de détention. La droite nationaliste exulte; l'espoir des dreyfusards s'évanouit. Va-t-on vers une nouvelle dégradation? Dreyfus, épuisé, ne pourra la supporter. Un rapport médical insiste sur son extrême faiblesse. Répondant à la pression bienveillante de sa famille et des premiers dreyfusards, soucieux avant tout de sauver sa vie, Alfred Dreyfus accepte de demander sa grâce au président Loubet, qui la lui accorde le 19 septembre.

En juillet 1906, Picquart (ci-dessus à la cérémonie de réhabilitation) retrouve son ancienneté dans l'armée en devenant rétroactivement général depuis 1903.

De la grâce à la réhabilitation

Waldeck-Rousseau, le nouveau président du Conseil, favorable à l'apaisement, déclare simplement : «L'incident est clos.» Il entame la procédure d'amnistie qui couvre les faits criminels commis par les divers officiers supérieurs : le général Mercier pourra ainsi siéger au Sénat. La solidarité des dreyfusards se lézarde, des déchirures éprouvantes éloignent parfois définitivement les alliés d'hier : Clemenceau, Picquart, Labori et, dans une moindre mesure, Jaurès, regrettent vivement la démarche de

Dreyfus qui, à leurs yeux, en demandant sa grâce, a mis un terme à la dimension universaliste de son combat. Des mots malsains sont même échangés, révélant la persistance de forts préjugés. La vie personnelle et professionnelle reprend néanmoins pour les uns et les autres. Le silence sur l'Affaire s'installe peu à peu.

Jaurès ouvre pourtant à nouveau le dossier et obtient qu'une dernière enquête soit menée. Elle est confiée au capitaine Targe, qui découvre d'autres documents falsifiés. La procédure reprend dans les derniers jours de 1903. Le 12 juillet 1906 enfin, les chambres réunies de la cour de Cassation soulignent que «de l'accusation contre Dreyfus rien ne reste debout». Evoquant le jugement du conseil de guerre de Rennes, elles déclarent que «c'est par erreur et à tort que cette condamnation a été prononcée». En tranchant définitivement, on évite aussi à la justice militaire d'avoir elle-même à se prononcer et donc, peut-être, à se déjuger.

Le 21 juillet 1906, Dreyfus devient chevalier de la Légion d'honneur. Il refuse que la cérémonie de réparation prenne place dans la grande cour de l'Ecole militaire : l'état-major l'organise dans une petite cour. Le capitaine Targe est associé à cette réhabilitation et reçoit la rosette d'officier.

Dreyfus et Picquart sont réintégrés dans l'armée. Au cours d'une cérémonie à l'Ecole militaire, Dreyfus reçoit, bouleversé, la Légion d'honneur tandis que l'armée lui rend cette fois les honneurs. Le Juif d'Etat rentre dans le rang, retrouve sa foi dans la république et dans l'armée. On connaît le mot de la fin : «Je n'étais qu'un officier d'artillerie qu'une tragique erreur a empêché de suivre son chemin.»

Un Etat républicain renforcé

Waldeck-Rousseau, proche autrefois de Gambetta, a su stabiliser la république : en nommant à son gouvernement le socialiste Millerand, il obtient aussi, en cette période de durs conflits sociaux, l'intégration partielle de la mouvance socialiste. Un nouveau personnel politique, professionnel et fortement diplômé, appartenant aux classes moyennes, se met en place. Il mène rapidement à bien une réorganisation complète des grands partis. Les «couches nouvelles», si attendues par Gambetta, conquièrent, grâce aux combats de l'Affaire contre les mouvements nationalistes, les sommets de l'Etat. Le gouvernement Waldeck-Rousseau symbolise la défense de la république menacée par les ligues nationalistes et les tentatives de coup d'Etat : mettre un terme à l'antisémitisme, c'est donc aussi sauver l'ordre républicain. Comme si la terrible poussée nationaliste, justifiée au nom d'une théorie ethnique ou purement culturelle de la nation, avait permis

L'affaire des fiches du général André (ci-dessous) constitue l'un des grands scandales de cette époque. De manière incontestable, l'anticléricalisme de Waldeck-Rousseau (à gauche) et de Combes, encore plus véhément, mène aux manœuvres d'André qui, en collusion avec les francs-maçons, surveille les pratiques religieuses les plus privées des officiers catholiques. Ci-contre, le jeu de la «casserole», (délateur, en argot de l'époque). On tourne le dos à l'Etat de droit.

LES 2 COMPÈRE
DREYFUS et ANDRÉ

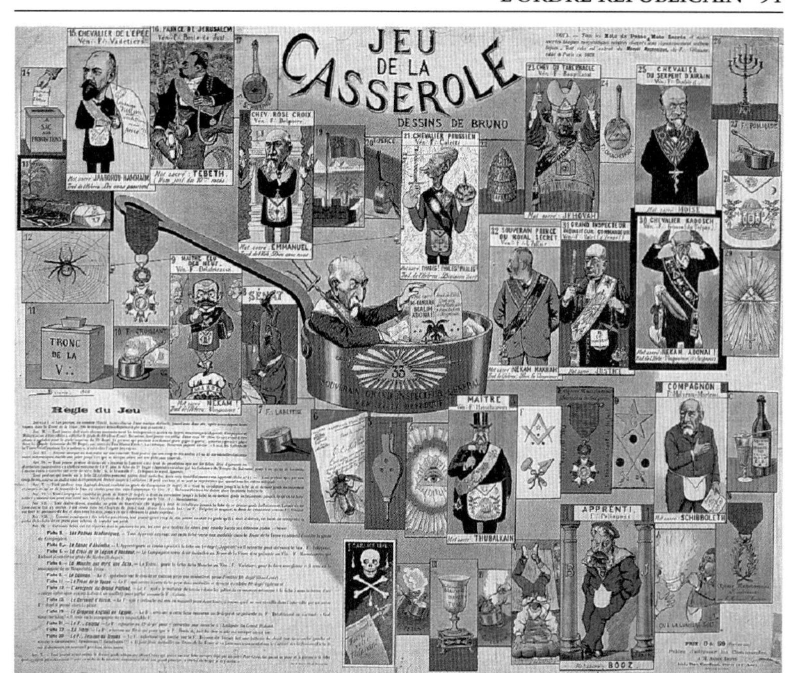

ce rétablissement final de la république issue de 1789 et des Lumières. L'Etat, cible de l'agitation nationaliste, en sort, comme souvent dans de semblables circonstances, paradoxalement renforcé. Sans hésiter, on emprisonne les dirigeants nationalistes.

Combes en grand délateur franc-maçon se préparant à cuisiner ses victimes (ci-dessous).

Une laïcisation militante

Nombre de généraux sont évincés ou déplacés. Ce coup de balai inévitable rend toute sa légitimité à l'armée en cette période de forte menace externe. L'excès de zèle du général André, nommé ministre de la guerre dans le gouvernement Combes, le conduit toutefois à sa perte, ternissant ainsi cette légitimité retrouvée. Il utilise en effet des fiches de renseignements transmis par les francs-maçons rendant compte des comportements privés d'officiers catholiques. L'émotion est immense : sa démission s'impose.

Ironie de l'histoire, le général Picquart lui succédera peu après.

Sous Waldeck-Rousseau et davantage encore avec le gouvernement du «petit père Combes», on s'engage aussi dans une sévère politique de lutte contre les congrégations, considérées comme trop favorables au camp nationaliste, satisfaisant ainsi les alliés radicaux. Le renouveau du combat en faveur de la laïcité est donc la conséquence directe de l'Affaire : c'est le grand retour à l'anticléricalisme de Gambetta et de Jules Ferry. Dès 1902, on ordonne la fermeture de très nombreux établissements d'enseignement religieux et l'on s'achemine rapidement vers une séparation complète de l'Eglise et de l'Etat. Les emblèmes religieux sont retirés de tous les locaux publics et, en 1906, l'année même où se clôt l'Affaire, le choc des inventaires provoque la révolte du monde catholique. Des églises barricadées sont prises d'assaut par les gardes républicains. En Flandre, un manifestant est tué. A l'échelle locale, une véritable guerre scolaire éclate. Le peuple catholique se mobilise,

L'expulsion des congrégations et la fermeture des écoles non autorisées suscitent, à partir de 1902, une vive riposte catholique animée par la Ligue patriotique des Françaises (à gauche une manifestation). Les inventaires des églises (ci-contre) provoquent aussi de nombreux heurts. Barrès déclare : «Je sens depuis des mois que je glisse du nationalisme au catholicisme.» Il dénonce le spectacle des églises tombant en ruine et s'en prend aux «mauvais instituteurs». Ceux-ci se servent de nouveaux manuels hostiles au catholicisme récusés aussi bien par l'Eglise que par les parents d'élèves catholiques. Mise en péril par l'Affaire, la république se ressaisit. Elle impose sans concession ses valeurs et son ordre, créant en retour une profonde coupure du corps social qui retarde davantage encore le réel ralliement des catholiques meurtris. En décembre 1909, le colonel Keller, président du Comité catholique de défense religieuse, déclare : «Regardons l'adversaire en face. C'est une bande qui veut servir la patrie avec Dreyfus, la morale avec Ferrer et panthéoniser Zola ; nous autres, nous sommes la France.»

sollicité par l'Action française, qui reprend le flambeau du nationalisme intégral.

Les leçons de l'Affaire

L'Affaire fait revivre l'affrontement entre les deux France. Aiguillonnée par une mobilisation nationaliste de type populiste désireuse d'en découdre avec une république rationaliste, opportuniste et «juive», la contre-société catholique est happée presque tout entière par cette mobilisation identitaire. Par-delà les hésitations des uns et des autres, deux imaginaires de la nation finissent par se heurter sans aucune concession. Une fois éloignée la menace née de l'Affaire, le réveil catholique répond à l'anticléricalisme républicain disposant de toute la force retrouvée de l'Etat. Ce choc traverse l'histoire de la France moderne. Mais durant l'Affaire, comme, plus tard, sous Vichy, lorsque la droite nationaliste parvient enfin au pouvoir, mettant en œuvre avec enthousiasme le programme de Drumont en expulsant d'un coup tous les Dreyfus de l'Etat, un autre constat se fait peu à

Nouvelle «débâcle de la république», selon l'expression de Jaurès, la Chambre du Front populaire vote, le 10 juillet 1940, les pleins pouvoirs au maréchal Pétain. Cette fois, la république n'est plus seulement en péril, elle disparaît corps et âme avec la complicité de la plupart de ceux qui en sont responsables. Le statut des Juifs d'octobre 1940 constitue l'une des premières mesures décidées par Vichy : ils sont exclus de l'Etat et de nombreuses professions. Comme le note triomphalement *La France au travail* : «Nous n'aurons plus d'affaire Dreyfus.»

peu jour. Avec étonnement, on s'aperçoit qu'une partie de l'élite aux valeurs pourtant républicaines prête son concours à cette entreprise de haine. La leçon de l'Affaire est aussi là. Il faudra attendre les années noires pour s'en rendre compte. La république se montre à chaque fois bonne fille : après quelques coups d'éclat témoignant de sa colère, elle amnistie ou détourne ses regards. Si la république est en péril, c'est aussi parce que nombre de ses serviteurs, au tournant du siècle comme sous Vichy, ne lui sont plus fidèles.

Les symboles s'entrechoquent. Le régime de Vichy célèbre la mémoire de Drumont avec l'inauguration d'une plaque et des gerbes en présence de sa femme (ci-dessous). Arrêtée pour fait de résistance, Madeleine, la petite fille d'Alfred Dreyfus, disparaît à Auschwitz. En février 1944, le fils du commandant du Paty de Clam (à gauche) doit succéder à Darquier de Pellepoix comme commissaire aux questions juives.

La victoire entraînera un nouvel effondrement du vieux courant nationaliste et le ralliement définitif des catholiques. Le 27 janvier 1945, Maurras (ci-contre) est condamné : «C'est la revanche de Dreyfus», s'écrie-t-il.

TÉMOIGNAGES ET DOCUMENTS

TÉMOIGNAGE DE HAUTE ESTIME
ET DE LA PLUS VIVE SYMPATHIE
AU CAPITAINE ET A MADAME
ALFRED DREYFUS

AOUT 1899

LA HAYE

Dreyfus en famille

Il semble difficile de concevoir l'Affaire sans Dreyfus lui-même et, davantage encore, sans la famille Dreyfus. Ces portraits retracent la vie d'une famille bourgeoise juive, du tournant du siècle à Vichy.

Pierre et Jeanne, les enfants d'Alfred et de Lucie Dreyfus seront tenus dans l'ignorance de l'arrestation puis de la déportation de leur père. A Carpentras, en 1899, Alfred Dreyfus leur raconte lui-même l'Affaire .

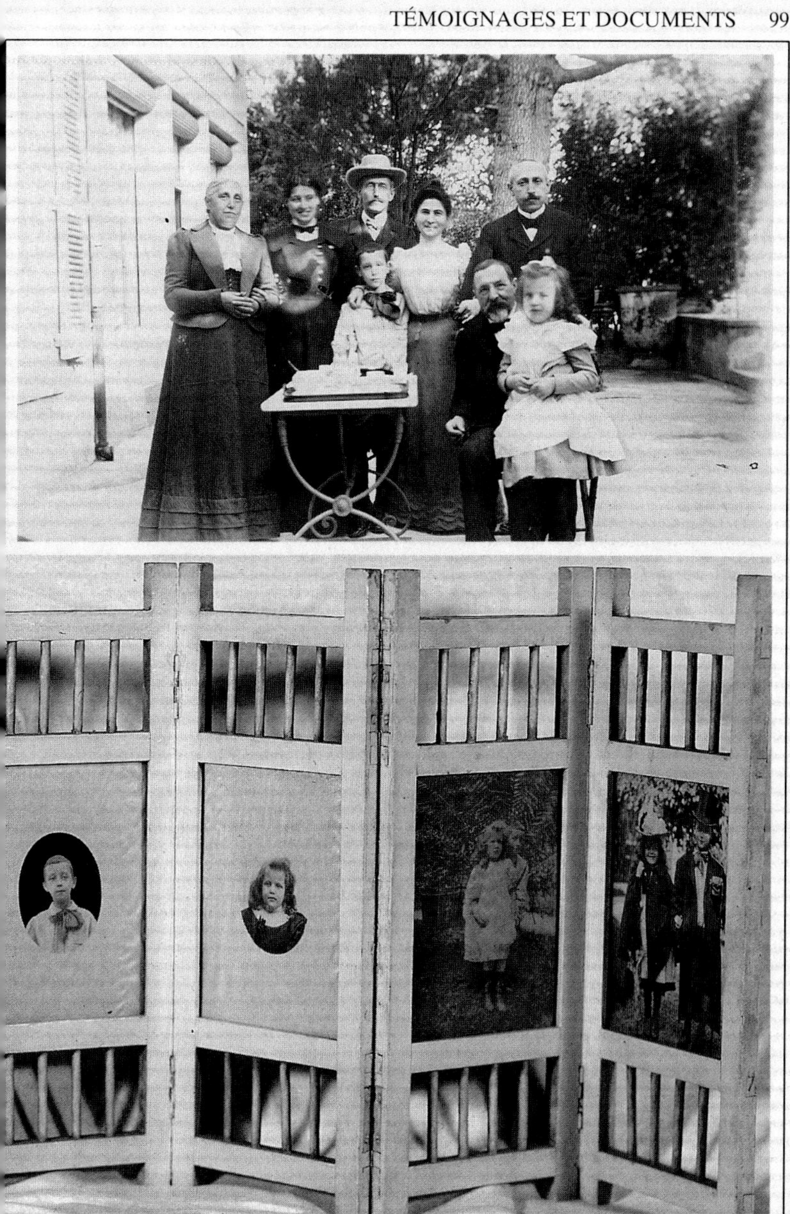

Carpentras, berceau du judaïsme français, c'est le lieu de retrouvailles de la famille Dreyfus. Joseph Reinach (ci-dessus avec Alfred et Lucie) figure parmi les tout premiers visiteurs.

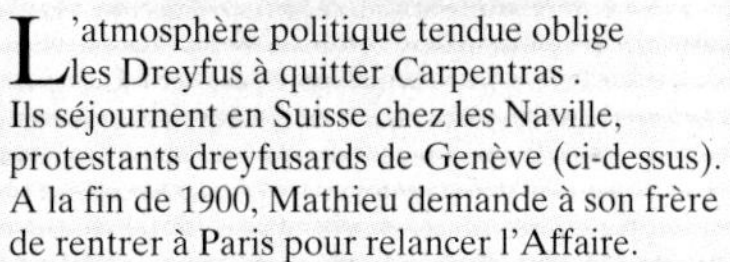

L'atmosphère politique tendue oblige les Dreyfus à quitter Carpentras . Ils séjournent en Suisse chez les Naville, protestants dreyfusards de Genève (ci-dessus). A la fin de 1900, Mathieu demande à son frère de rentrer à Paris pour relancer l'Affaire.

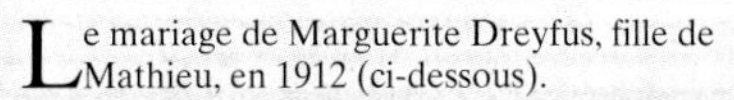

Le mariage de Marguerite Dreyfus, fille de Mathieu, en 1912 (ci-dessous).

Si le jeune Alfred Dreyfus n'a pas participé, comme son frère Jacques, à la guerre de 1870 , il prend part, ainsi que sa femme (ci-dessous), son fils Pierre (au centre) et son neveu, Emile, le fils de Mathieu (à droite), à celle de 1914. Pierre sera gazé, Emile meurt sur le champ de bataille tout comme son beau-frère, Ado Reinach, le fils de Joseph Reinach.

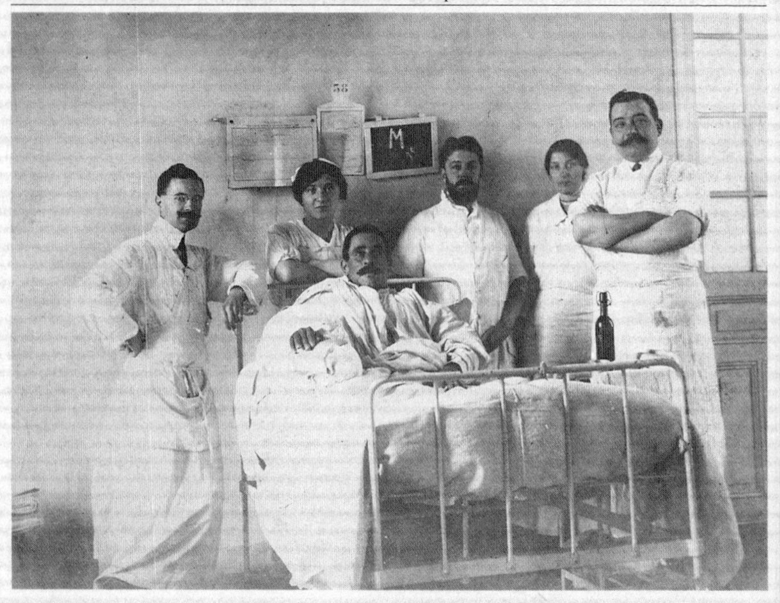

En 1931, Dreyfus rend hommage à Zola (en haut). Il meurt en 1935. Madeleine, une de ses petite-filles (ci-dessus), arrêtée comme résistante, est déportée à Auschwitz où elle est assassinée ainsi que d'autres membres de la famille.

Cinq années de leurs vies

Au moment de l'arrestation de son mari, Lucie Dreyfus a 24 ans. Cette jeune femme fort croyante soutient son époux de toutes ses forces. Elle lui envoie des colis, se renseigne sur la Guyane, lui conseille tel médicament, tel type de vêtement. C'est surtout par ses lettres, lues par la censure, qu'elle va l'aider à survivre.

Samedi soir, 5 janvier 1895.

Quelle horrible matinée ! Quels atroces moments ! Non ! Je ne puis y penser, cela me fait trop souffrir. Toi, mon pauvre ami, un homme d'honneur, toi qui adores la France, toi qui as une âme si belle, des sentiments aussi élevés, subir la peine la plus infamante qu'on puisse infliger, c'est abominable !

Tu m'avais promis d'être courageux, tu as tenu parole, je t'en remercie. Ta dignité, ta belle attitude, ont frappé bien des cœurs et lorsque l'heure de la réhabilitation arrivera, le souvenir des souffrances que tu as endurées dans ces horribles moments sera gravé dans la mémoire des hommes.

J'aurais tant voulu être auprès de toi, te donner des forces, te réconforter, j'avais tant espéré te voir, mon pauvre ami, et mon cœur saigne à l'idée que mon autorisation ne m'est pas encore parvenue et que je devrai peut-être attendre encore pour avoir l'immense bonheur de t'embrasser...

Nos chéris sont bien gentils ; ils sont si gais, si heureux. C'est une consolation dans notre immense malheur de les avoir si jeunes, si inconscients de la vie. Pierre parle de toi et avec tant de cœur, que je ne puis m'empêcher de pleurer.

Lucie.

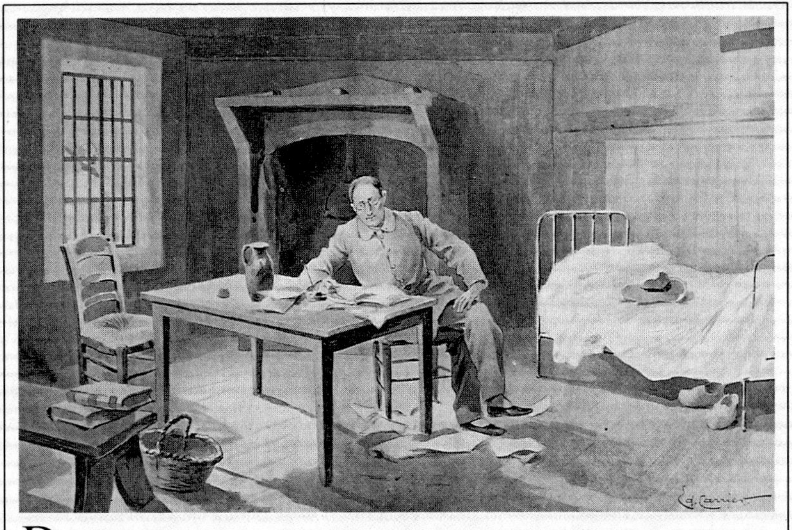

Dreyfus à l'île du Diable, vu par la presse populaire.

7 janvier [1895], soir.

Que pourrais-je te dire, si ce n'est que je ne pense qu'à toi, que je ne parle que de toi, que toute mon âme, tout mon esprit sont tendus vers toi ? Je te demande, je te supplie d'avoir du courage, de ne pas te laisser abattre, de ne pas te laisser ronger par le chagrin et de lutter pour que tes forces physiques ne t'abandonnent pas. Il faut que nous arrivions à te réhabiliter ; nous faisons tout et nous ferons tout pour cela. Qu'est-ce que notre fortune à côté de l'honneur d'un homme, d'enfants de deux familles ; je serai heureuse d'avoir consacré tout notre avoir à cette noble tâche...

Nous avons tous la conviction qu'il n'est pas d'erreur qui ne se reconnaisse un jour, que le coupable se trouvera et que nos efforts seront couronnés de succès...

Lucie.

Paris, 6 octobre 1897

Je n'ai pas réussi à t'exprimer dans ma dernière lettre et surtout, je crois, à te communiquer d'une façon absolue la confiance si grande que j'avais et qui n'a fait que s'accentuer depuis, dans le retour de notre bonheur. Je voudrais te dire la joie que je ressens en voyant l'horizon s'éclaircir ainsi, en apercevant le terme de nos souffrances, et je me sens bien inhabile à te faire partager mes sentiments, car pour toi, pauvre exilé, c'est toujours l'attente, l'attente angoissante, l'ignorance de tout ce que nous faisons, et les phrases vagues, les assemblages de mots ne t'apportent rien, si ce n'est l'assurance de notre profonde affection et la promesse souvent renouvelée que nous arriverons à te réhabiliter. Si tu pouvais comme moi te rendre compte des progrès accomplis, du chemin que nous avons fait à travers les ténèbres pour gagner enfin la pleine lumière, comme tu te sentirais allégé, soulagé ! Cela me crève le cœur de ne pouvoir te raconter tout ce qui me passionne, tout ce qui fait que j'ai tant d'espoir. Je souffre à l'idée que tu subis un martyre, qui, s'il doit se prolonger physiquement jusqu'à ce que l'erreur soit officiellement reconnue, est au moins inutile moralement, et que, tandis que je me sens plus rassurée, plus tranquille, tu passes par des alternatives d'angoisses et d'inquiétudes qui pourraient t'être épargnées...

in Afred Dreyfus,
Cinq Années de ma vie,
La Découverte, Paris, [1994]

Rennes, samedi 1 juillet 99

Mon bien cher Alfred

Voici quatre ans que je lutte, que je prie et que je souhaite ardemment voir arriver enfin ce jour béni. Je m'étais préparée à cette émotion, je voulais être forte et n'avoir aucune défaillance. Mais il nous a fallu à tous deux faire des efforts surhumains pour nous concentrer et tenir nos nerfs afin de supporter vaillamment cette grosse épreuve.

Comme cette heure a passé vite il me semble avoir fait un rêve, un beau rêve, plein d'émotions et de bonnes souffrances.

Je voulais te dire mille choses, te parler des enfants, des nôtres, de tous ceux que nous aimons tous deux ; mais

j'ai craint de te faire du mal en te donnant encore des sujets d'attendrissement.

Pauvre ami, toi qui n'as pas parlé depuis près de cinq ans, toi qui as souffert tous les martyres, comme tu es encore vaillant et courageux, tu es digne de toutes les admirations et les témoignages nombreux que je reçois pour toi de la France et du monde entier peuvent te prouver à quel point tu es honoré et aimé.

Enfin quelques semaines encore et nous tiendrons le bonheur. Ce seront des journées de travail pour toi, tu auras fort à faire de te mettre au courant de tout ce qui s'est passé, pour apprendre à

Lucie avant son mariage. Ci-contre, l'île du Diable, lieu de détention de Dreyfus.

connaître le caractère des hommes qui ont pris part à ce terrible drame, les uns sont bas et vils et ne méritent que la pitié, les autres sont des âmes supérieures d'une pureté, d'une élévation, d'un dévouement qui font oublier beaucoup de vilaines choses.

6 heures du matin. Dimanche

Je t'ai écrit hier, mon cœur débordait trop, il avait besoin de s'épancher et où trouverais-je un plus doux appui, si ce n'est auprès de toi, mon pauvre ami ! La joie de t'avoir près de moi, dans la même ville, m'a donné un sommeil plus calme. Mon cœur est moins déchiré. Je me réjouis de te voir. J'attends cet après-midi avec une impatience fébrile.

A tout à l'heure, mon mari bien aimé, reçois mes plus tendres mes plus affectueux baisers.

Témoignages de sympathie

Croyants ou incroyants, écoutant leur «conscience» et leur «cœur», des citoyens de condition modeste rendent hommage «au plus malheureux des Français».

La mémoire ouvrière ignore presque toujours l'Affaire. En dehors des prises de position hostiles des grands ténors socialistes ou des déclarations antisémites du Père Peinard *ou de* La Sociale, *c'est le silence… ou presque. D'où l'intérêt exceptionnel de cet hommage rendu par ces quatre « pauvres ouvriers » à leur « frère » Dreyfus.*

Hommages

Les soussignés unis dans une pensée commune d'humanité et de noble justice envoient à leur frère – Alfred Dreyfus – martyr des iniquités hiérarchiques et oligarchiques, aujourd'hui, jour de l'anniversaire de sa grâce, leurs plus sincères hommages et leurs plus profondes vénérations, et lui assurent, par le plus solennel serment, qu'ils resteront avec lui pour la vie, ses frères de l'éternité. Et lui font don de cet ouvrage, composé par eux, comme le gage le plus sacré d'un divin souvenir. Puissent toutes ces pages empreintes d'amour et d'humanité lui révéler sans cesse, dans le courant de sa longue existence, que ces hommes ont pleuré ses douleurs et maudit ses bourreaux. Et puissent-elles n'apporter à son âme malade qu'un baume de bonheur, d'espérance et d'amour.

Fait à Marseille,
le 20 septembre 1900
François Balbis, François Gilabert,
Léopold Bianchi,
Paul Boujon

Cet ouvrage a été composé avec l'assentiment de mes chers amis pour donner au Martyr du dix-neuvième siècle un gage de notre affection, un témoignage de notre noble amour. Nous avons suivi pas à pas, malgré notre jeune âge, toutes les péripéties de ce sombre drame éclos par les plus lâches et les plus monstrueux complots qu'on puisse tramer contre la vie d'un être humain. Tantôt gémissant sur les douleurs physiques et morales qu'on faisait subir à la victime innocente, tantôt menaçant dans un geste d'indignation les bourreaux et les brutes galonnés du mépris public, mais trop jeunes et trop misérables, nous ne pouvions rien contre la meute farouche de ces bandits, donc nous dûmes souffrir en silence ces longues années de martyre que vous dûtes supporter dans la relégation inhumaine, loin de toute tendresse et de toute pitié. Mais à l'heure venue vous ne gémissez plus couché sur le grabat de cet enfer infâme, vos yeux ne se détournent plus de ces tortures sanglantes que vous infligeaient vos geôliers à la solde de ces barbares. Votre cœur ne se gonfle plus à la pensée douloureuse que sur la terre natale vous avez laissé des êtres réclamant à la justice humaine un époux et un père. Oui maintenant vous êtes libre, les chaînes n'entament plus vos membres et vos yeux, qui s'enfonçaient dans leurs orbites et n'avaient plus une larme tant ils avaient pleuré, ont repris leur aspect tranquille. Votre face émaciée par tant de dures épreuves aujourd'hui est redevenue à sa physionomie habituelle. Et dans cette calme retraite où vous avez enfoui votre douce personne pour oublier un moment (si c'était possible) toutes les souffrances, tous les affronts qu'on déversa sur votre mémoire. Martyr, recevez avec nos cœurs le don de notre amour. Allons aujourd'hui que la vie renaît pour votre âme, qu'une ère de bonheur se lève pour vous ainsi que pour les vôtres. Souriez, voyez, la nature vous invite au recueillement fraternel. Laissez monter jusqu'à vous un rayon d'espérance. Le soleil avant de quitter notre monde vous jette un dernier regard. Contemplez-le. Il emporte avec lui ces souvenirs d'antan. Et que demain qui va naître dans la pompe du renouveau soit pour votre cœur éprouvé une journée d'ivresse et de bonheur sans fin. Frère, en cet anniversaire nous avons tenu à vous faire parvenir un peu de notre joie et, quoique inconnus à votre mémoire, nous voulons participer à votre plaisir et nous avons fait notre possible pour vous être agréables. Nous connaissons comme vous la vie en déshérités, nous avons souffert car la fatalité a été pour notre être dure et inflexible dans la douleur, injuste et capricieuse pour notre juvénile existence. A peine entré dans le tourbillon fantasque de la vie, que nous connûmes les larmes. Moins favorisés que bien d'autres et nullement privilégiés de l'opulence, nous allons traînant avec langueur le fardeau de notre misère. Nous ne sommes que de pauvres ouvriers qui prenons sur notre repos quelques moments pour graver sur le papier les impressions de notre triste jeunesse. Elevés loin de l'éloquence d'un maître, loin de tous ces bruits lycéens, nous n'eûmes pour toute instruction que les préliminaires notions communes, puis à l'âge venu de gagner notre pain, nous fûmes jetés au labeur quotidien où depuis nous végétons tant bien que mal (plutôt mal que bien). A mesure que nous grandîmes, nous comprîmes qu'on arrivait à rien sans un peu d'instruction. Alors nous nous mîmes à étudier, mais ces leçons sans professeur furent minimes et notre mémoire ne put apprendre que bien peu de choses. Aussi est-ce dans cette nudité d'esprit que nous nous présentons à vous, frère, et si vous rencontrez en feuilletant ces pages quelques passages bien faibles, pardonnez-nous sincèrement car nous avons fait tout ce qui dépendait de nous pour vous rendre content. Le soir après notre journée de pénibles labeurs, fatigués, les membres brisés, nous retournons à notre demeure, nous choisissons dans notre délassement le seul brin de bonheur qui nous reste encore, et alors dans la pénombre qui nous environne, nous étudions et nous notons toutes les idées confuses qui montent en notre cerveau, rempli de jeunesse et de morne espérance. Quoique le prestige de notre ouvrage soit nul au point de vue littéraire et artistique, et qu'il n'ait aucune valeur scientifique, veuillez le recevoir tout de même, car c'est notre cœur qui vous l'offre et notre pensée qui vous l'envoie. Daignez l'accepter comme la plus touchante obole d'une frénétique admiration, comme l'humble don des malheureux déshérités.

Frère ! toutes nos pensées sont à vous ; nos cœurs, trop écœurés par tant de vilenies et d'ignobles calomnies, ont répudié depuis longtemps déjà leurs abjects auteurs. Et c'est pour jeter une base de fraternité et de solennelle justice autour de votre noble personne que nous avons écrit ce petit manuscrit, symbole de la souvenance et de la commisération sociale. Dans cette humble préface, nous vous avons exposé les motifs de notre douce entente, union toute sincère parmi les cœurs martyrs sacrés par la douleur humaine. Vous trouverez plus loin des larmes amères mêlées aux songes futurs, espérance suprême de notre divin amour. Vous trouverez encore dans ces pages écrites dans la fièvre passionnante de la douce jeunesse, les désirs sincères et justes, les vœux les plus ardents et les plus nobles, que nos âmes convalescentes hélas ne cessent de former chaque jour pour le bien-être moral de tous les peuples dans l'auguste accomplissement du noble devoir envers les classes délaissées de la société actuelle, et les rêves éclos dans une heure d'abandon et de solitude, loin du bruit géant de la vie sépulcrale, engloutis dans le chaos ténébreux de l'incertitude du temps. Et ces pathétiques écrits qui sont l'œuvre de l'imagination juvénile sont pleins de doux pensers, sincères songes d'un idéal nouveau, mais non point du mirage éphémère. Frère, feuilletez ces pages qui parleront à votre âme mieux quc lcs plus longs discours car ce sont les véritables sentiments nés dans l'âme même des enfants du peuple. Ce sont les larmes qui tombent du cœur goutte à goutte sur la mémoire des hommes pour les rafraîchir et les rendre meilleurs. Oh ! puissent toutes nos humbles pensées affermir encore davantage votre courage et vous faire souvenir parfois que nous avons pleuré avec vous les sombres malheurs qui ont ébranlé un instant vos jours dans les bases de votre existence.

Salut au nom sacré de nos âmes, victime de la vie infâme. Salut roi des douleurs déifié par la mémoire des hommes à nos progénitures. Salut à votre héroïne épouse et à vos chers enfants. Oui, trois fois salut, élu glorieux de l'incommensurable et intangible postérité.

François Balbis, 20 mai 1900

D'un curé normand

Le « cri de douleur » d'un curé normand bouleversé par le sort de Dreyfus est tout aussi remarquable. A l'époque, les curés de province lisaient plutôt La Libre Parole.

Gonneville-sur-Dives, 17 juillet 1906

Monsieur Dreyfus,

Dès 1894, « par raisonnement autant que par instinct », je me démontrai que vous étiez la malheureuse victime d'une déplorable erreur. Et telle était ma conviction que, pendant votre douloureux exil, votre nom, bien souvent, revenait dans ma conversation, et que toujours, je ressentais quelque chose de vos souffrances et de vos angoisses, sans que pourtant j'ai pu en mesurer la profondeur et la poignante réalité.

Rennes m'apporta une grande déception et une invincible espérance !

Monsieur J. Reinach, en une page éloquente de son premier volume, dit « [*mot illisible*] le premier verdict, étions-nous dix à rester dans l'imprenable forteresse de la raison ? »

Il ne savait pas qu'en un lointain village, il y en avait un onzième, un prêtre obscur, aussi absolument libre en ses sentiments que dévoué fermement à son devoir, qui faisait des vœux, adressait au Ciel les plus ardentes supplications pour que votre martyre prît fin, et que justice vous fût rendue : l'honneur après la liberté !

C'est fait : j'en bénis Dieu !
Et je lui demande qu'il confonde, ou plutôt qu'il éclaire vos derniers ennemis, je lui demande surtout qu'à vous aussi il fasse voir « les extrémités des choses humaines » : c'est-à-dire qu'après avoir permis, comme vous l'écriviez un jour, dans un grand cri de douleur, que vous fussiez le plus malheureux des Français, il vous accorde un long avenir réparateur ; de paix intérieure, d'universelle considération, de bonheur familial.

Je ne songe pas à excuser ma démarche : j'y ai été irrésistiblement poussé par ma conscience, et je me sens heureux de l'avoir faite.

Votre très humble et très dévoué
Ch. Lamy
Curé de Gonneville-sur-Dives
par Dives-sur-Mer, Calvados

Délibération du conseil municipal de Lédignan (Gard) le 16 juillet 1906

La délibération d'un conseil municipal d'une petite localité du Gard montre elle aussi que l'Affaire, au-delà des grandes villes, a bien touché le monde rural.

Sur la proposition de M. le Maire est adoptée la proposition suivante :

Le conseil municipal de Lédignan

Considérant qu'il a autrefois manifesté énergiquement en faveur du capitaine, aujourd'hui chef d'escadron Alfred Dreyfus, dont l'innocence lui apparaissait comme évidente, et du colonel, aujourd'hui général de brigade Picquart ;

Est unanimement d'avis qu'il y a lieu d'exprimer au gouvernement ses félicitations pour les deux actes de réparation qu'il vient d'accomplir, et aux victimes de la plus vile calomnie, Dreyfus et Picquart, toute la satisfaction et tout le bonheur qu'il éprouve en les voyant enfin, par l'épanouissement de la vérité, lavés de l'ignominie qu'une bande noire et sans vergogne avait fait peser sur eux ;

Il émet encore l'avis que tous ceux qui de près ou de loin ont suscité ou encouragé les faux doivent être déclarés indignes de la qualité de citoyens français, être déchus de leurs grades et rayés des cadres de la Légion d'honneur.

Signés au registre,
tous les conseillers présents.

Département du Gard
Arrondissement d'Alais

RÉPUBLIQUE FRANÇAISE

MAIRIE de Lédignan

EXTRAIT DU REGISTRE AUX DÉLIBÉRATIONS DU CONSEIL MUNICIPAL

Séance extraordinaire du 16 Juillet 1906.

OBJET : Affaire Dreyfus. Adresse au Comt Dreyfus au Génl Picquart et félicns au Gouvernement

L'an mil neuf cent six le seize Juillet à neuf heures du soir le Conseil municipal de Lédignan convoqué le 12 Juillet s'est réuni en séance extraordinaire, à la Mairie, sous la présidence de M. Granaud, Maire.

Conseillers en exercice : 12

Etaient présents : MM. Granaud Maire, Béchard 1er adjoint, Bonnet, Girard, Béchard Eugène, Plat, Cubraigues, Gardies, Richard, Cavalier, Cosmart et Donnadieu

Absents : MM.

Souvenirs d'instituteurs

Dix-huit pour cent des « hussards noirs » interviewés en 1961, au soir de leur vie, se souviennent intensément de l'Affaire. Deux jeunes élèves institutrices envoient des colis à l'île du Diable ; un instituteur souligne que l'Affaire est « la seule qui ait passionné ma jeunesse ». Tous se rappellent à quel point l'antisémitisme pénétrait la cour des écoles, menant à des bousculades et des coups ; ils n'oublient pas non plus leur déception devant les réactions pusillanimes des diverses autorités.

Edouard Derré

La première fois que j'entendis prononcer le nom de Dreyfus, c'est à l'école primaire supérieure de Bressuire, une huitaine de jours après la rentrée d'octobre 1899, au début de ma seconde année par conséquent. Les professeurs réunis en cercle dans la cour vers huit heures moins dix en attendant la rentrée discutaient, paraissaient assez agités. Pris subitement de curiosité, en courant modérément, je m'approchai de leur groupe et saisis au vol le nom de Dreyfus. « De quoi peuvent-ils donc parler ? », me souffle un camarade. « J'ai entendu le nom de Dreyfus, connais-tu ce monsieur, toi ? » « Ma foi, non », me répond-il. J'interrogeai un camarade plus âgé : « Je ne suis pas bien sûr, mais je crois que c'est un officier qui est au bagne. » « Pourquoi ? », dis-je. « Ah ! ça je ne sais pas : il ne faut pas parler de cette affaire-là, m'a dit mon père. »

Je n'insistai pas, mais pour moi, un officier au bagne ! Cela demandait à être éclairci ; et j'enregistrai cette nouvelle pour demander des explications à mon tuteur quand j'irais lui présenter mes vœux aux vacances de nouvel an.

« Comment ? Tu t'intéresses à l'affaire Dreyfus ? », me répond-il quand je lui eus raconté comment j'avais été intrigué par le cas de cet officier bagnard. « Tu es bien jeune, mon garçon, pour t'occuper de ça, mais enfin, voici en deux mots l'affaire : Dreyfus est un officier qui a été accusé à tort d'avoir trahi son pays. Il a été condamné à la déportation perpétuelle par un conseil de guerre avec dégradation militaire. Victime d'une grave erreur judiciaire, il a été remis en liberté en septembre dernier après avoir passé cinq années de détention dans l'île du Diable au nord de la Guyane. Mais nous parlerons de cela plus tard, tiens,

Le Petit Journal

Le Petit Journal
CHAQUE JOUR 5 CENTIMES
Le Supplément illustré
CHAQUE SEMAINE 5 CENTIMES

SUPPLÉMENT ILLUSTRÉ
Huit pages : CINQ centimes

ABONNEMENTS

	TROIS MOIS	SIX MOIS	UN AN
PARIS	1 fr.	2 fr.	3 fr 50
DÉPARTEMENTS	1 fr.	2 fr.	4 fr.
ÉTRANGER	1 50	2 50	5 fr.

…ième année — DIMANCHE 13 JANVIER 1895 — Numero 21…

Le traître : dégradation d'Alfred Dreyfus.

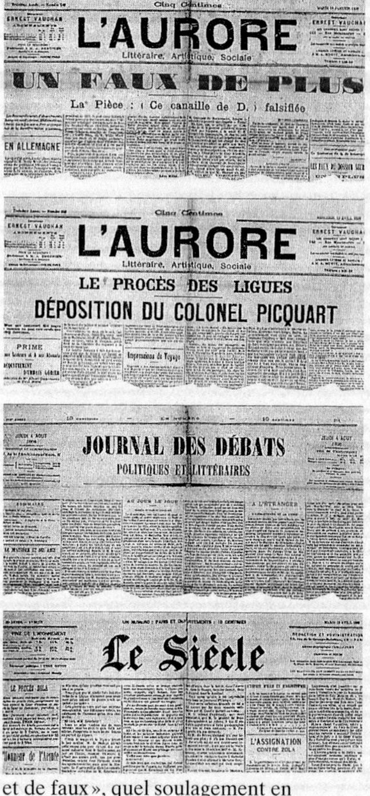

Cinq Centimes

L'AURORE

Littéraire, Artistique, Sociale

UN FAUX DE PLUS

La Pièce : « Ce canaille de D. » falsifiée

EN ALLEMAGNE

Cinq Centimes

L'AURORE

Littéraire, Artistique, Sociale

LE PROCÈS DES LIGUES

DÉPOSITION DU COLONEL PICQUART

PRIME

Impressions de Voyage

JOURNAL DES DÉBATS

POLITIQUES ET LITTÉRAIRES

Le Siècle

LE PROCÈS ZOLA

L'ASSIGNATION CONTRE ZOLA

dans deux ans, quand tu entreras à l'école normale. D'ici là je rechercherai dans des collections de vieux journaux que j'ai dans une caisse au grenier des renseignements précis ; au besoin je demanderai à des camarades de bureau des gazettes supplémentaires : ça me fera plaisir à moi aussi de revivre cette époque-là qui a troublé le pays et le monde entier. » « Eh bien ! J'attendrai, du moment que le bien a triomphé, je suis très content. »

Je dois vous dire qu'à l'école supérieure on nous habituait déjà à réfléchir et à formuler des jugements sur le rôle ou la conduite des personnages de marque rencontrés dans des lectures ou des morceaux choisis.

Fin juillet 1901, je quittais Bressuire après avoir subi avec succès le concours d'entrée à l'école normale de Poitiers. J'allais passer la plus grande partie de mes vacances chez mon tuteur. Je m'en réjouissais et avais hâte de feuilleter les vieux journaux qui relataient les péripéties de l'affaire Dreyfus, avec une curiosité avivée par l'attente. Je m'astreignis pendant huit jours à lire ce récit effarant de l'odieuse trahison d'un officier portant l'uniforme français laissant accuser et déshonorer un innocent. Comment cette chose monstrueuse était-elle possible ? Dans nos classes une pareille façon d'agir eût été flétrie avec véhémence. Comment un officier, dont la vertu première était le courage, pouvait-il se rendre coupable d'une telle lâcheté ? J'étais outré, peiné, pour la malheureuse victime. Et combien d'autres vilenies furent accomplies par des officiers menteurs, faussaires appartenant à l'état-major, « la fine fleur de l'armée ». C'était donc ça des hommes d'honneur ? (Cela explique la vague d'antimilitarisme qui sévit par la suite.)

Mais après tout ce « bourbier de vols et de faux », quel soulagement en ouvrant le journal de Clemenceau, *L'Aurore*, de trouver la fameuse lettre « J'accuse » de Zola, écrivain déjà célèbre dans le monde entier. Cette lettre, adressée au président de la République, établissait la vérité. Je retrouve la fin de ce document dans un vieux cahier de notes où j'avais relevé le texte de la lettre entière :

« J'accuse enfin le premier conseil de guerre d'avoir violé le droit en condamnant un accusé sur une pièce restée secrète, et j'accuse le second conseil de guerre d'avoir couvert cette illégalité par ordre, en commettant à son tour le crime juridique d'acquitter sciemment un coupable.»

Peut-on trouver dans l'histoire plus bel exemplc de courage civique ? L'honnête Zola avait osé proclamer bien haut l'innocence de Dreyfus. Il sera condamné à son tour à un an d'emprisonnement pour diffamation à l'égard du second conseil de guerre accusé d'avoir commis le crime juridique d'acquitter sciemment un coupable, Estherazy l'officier félon. Curieuse justice si implacable pour les honnêtes gens, et si complaisante pour les traîtres et les faussaires. C'était très passionnant et très pénible pour moi de lire de pareilles abjections.

La condamnation de Zola stupéfia l'étranger : il ne reconnaissait plus la France des Droits de l'homme qui avait donné la liberté au monde. En France, des savants, des professeurs, des étudiants ameutèrent l'opinion pour obtenir la révision du procès Dreyfus. Le jugement rendu par le premier conseil de guerre fut d'abord annulé par la Cour de cassation et l'accusé renvoyé devant le conseil de guerre de Rennes qui reconnut Dreyfus coupable de haute trahison et le condamna à dix ans de réclusion.

En France et dans le monde entier ce fut une tempête d'indignation. Enfin, premier soulagement : sous la pression de la population, le gouvernement obtiendra du président de la République la grâce pour Dreyfus qui fut libéré le 19 septembre 1889.

Mais il fallut attendre jusqu'à 1904 pour qu'un ministre de la guerre, le général André, un honnête homme, procède à une nouvelle enquête et découvre les manœuvres frauduleuses qui laissaient peser le doute sur Dreyfus.

C'était l'année de ma sortie d'école normale. C'est mon tuteur chez qui j'étais encore en vacances qui m'apprit l'heureuse nouvelle.

«Mais enfin comment se fait-il que des officiers aient pu ainsi faillir à l'honneur ?», lui demandai-je.

«Mais parce qu'ils avaient une conscience élastique. Garde toujours, comme ton père l'aurait voulu, ta conscience droite et pure.»

J'acquiesçai avec joie.

Deux ans plus tard nous apprenions que la Cour de cassation, après avoir procédé à une instruction supplémentaire longue et minutieuse, avait, dans sa séance du 12 juillet 1906, annulé le jugement du conseil de guerre de Rennes. Dreyfus était enfin réhabilité.

Mathilde et Narcisse Lesne

Narcisse se souvient [...] des remous soulevés par l'affaire Dreyfus. Il était au moment où Zola publiait sa fameuse lettre «J'accuse» chez le grand-père maternel (ancien militaire et maréchal des logis à la retraite) à Cogna. Ce dernier qui était à l'accoutumée un homme calme et profondément honnête, était hors de lui. «A bas Zola» criait-il dans les rues du village. Il disait qu'on insultait le conseil de guerre et l'armée. Pour lui la culpabilité de Dreyfus ne faisait aucun doute et nul doute aussi qu'il eût approuvé sa condamnation à mort. A ce moment il ne lisait que la «gazette du village». Ce n'est pas une telle lecture qui pouvait l'éclairer. Il était cependant devenu partisan du régime républicain et notre mère nous a raconté souvent qu'admirateur de Napoléon Ier et bonapartiste convaincu, il avait, à l'annonce de la capitulation de Sedan, retourné le portrait de Napoléon III la face contre le mur et fait cette volte-face spectaculaire.

Dreyfus is innocent.

The very able Senator from Alabama

Honorable John T. Morgan,

expresses himself in a letter to the Agitation Committee in Baltimore as follows:

"DEAR SIR:

"I have full faith in the French Government that they will honestly and courageously do justice between the Republic and its citizens. I am not so fully informed … state of the evidence bearing on the Dreyfus case as to be w… the question of his innocence, yet, if I was fu… not be my privilege to express … Government … c… it- f… le, st… e in an… severity with that of … believ… is innocent and was harshly dealt with by a judge who was in

All Humanity must unite for the Protection of the Innocent!

Dreyfus Agitation Committee,

No. ~~1604~~ 1044 PENNSYLVANIA AVENUE.

Baltimore, Md. Nov 21. 1898

Mr Matthieu Dreyfus

Honorable Sir

… mit me to take the liberty as a stranger … request you or that noble lady, Madame … to forward at the expense of the Dreyf…

All Humanity must unite … Dreyfus Agitation Committee, ~~1604~~ 1044 Pennsylvania Ave. Baltimore, Md.

BALTIMORE NOV 22

Monsieur Matthieu Dreyfus frère du Alfred Dreyfus … Paris, France

L. Michel 1044 Penn. Ave.

Les activités dreyfusardes à l'étranger : lettres à Mathieu Dreyfus, comités de soutien…

En revanche, à l'école normale d'institutrices de Lons, la directrice, Mme Ebren, dreyfusarde convaincue, nous lisait les lettres de Dreyfus et les extraits des rares journaux qui plaidaient la cause du condamné de l'île du Diable.

Marcel Rouffy

Mes parents recevaient un journal bihebdomadaire local qui avait pris parti contre Dreyfus dès le début de la campagne révisionniste. Les arguments m'avaient paru solides. Le jugement de Rennes (avec les circonstances atténuantes) et la grâce ne firent qu'ébranler ma conviction de la culpabilité de Dreyfus. Cependant, des discussions avec des camarades m'amenèrent à douter sérieusement.

Après ma sortie de l'école normale, je lus des dizaines de brochures et de livres sur l'Affaire, notamment *Les Preuves* de Jaurès et *L'Histoire* de Reinach alors en cours de publication. J'aboutis naturellement à la conviction que Dreyfus était innocent. En outre, j'acquis la certitude que les plus importants de ses accusateurs savaient qu'il était innocent. Ce fut pour moi un déchirement, et cette révélation exerça une profonde influence sur mon attitude ultérieure à l'égard de certains partis politiques.

Un instituteur du Doubs

Quant à l'Affaire, j'ai été témoin de ses remous à Besançon, sans trop savoir de quoi il était question lorsque les étudiants manifestaient le soir dans la rue, cassant avec leurs cannes ou des gourdins les volets des magasins juifs et criant : « Conspuez Zola, conspuez Zola, conspuez ! » Un cordon d'agents protégeait la synagogue, devant laquelle se disloquait le cortège, encadré de gamins heureux du bruit. Cette animation insolite permettait à quelques-uns d'entre eux de briser à coups de pierre les becs de gaz, suivant ainsi l'exemple des bérets de velours. Je me souviens d'un supplément illustré du *Petit Journal*, paru en janvier 1895. L'image de la dégradation m'avait impressionné profondément.

Au lendemain des manifestations estudiantines de la cour de notre école, certains parmi les grands élèves se saisissaient des petits Bloch ou Lévy, et les cognaient, les bousculaient au fond du préau, loin des maîtres qui, en melon et jaquette, se promenaient en évoquant probablement le cas Dreyfus.

Je n'ai pas oublié non plus un meeting organisé au Kursaal bisontin par les tenants de la Ligue des patriotes, la révision du procès. Un dimanche matin, au printemps de 99, un homme barbu et moustachu avait distribué aux enfants, sur la place Granvelle, des « sifflets à roulette » en les invitant à venir s'en servir à la réunion projetée. Les hurlements, claquements de siège accueillent les orateurs (dont le député Lasies), qui avaient placé sur le bureau un buste en plâtre de Déroulède. Chahut monstre, expulsion par la police. Une troupe de gosses, dont j'étais, accompagna au commissariat un cordonnier de mes voisins, boiteux, et qui frappait le trottoir de son talon en scandant : « La Sociale ! La Sociale ! »

Un instituteur parisien

Le cri de « Mort aux Juifs ! » n'était qu'un slogan, mais qui avait un écho dans la cour de nos écoles. Il me fut facile d'intervenir pour montrer l'acte odieux qu'ils accomplissaient en molestant leurs petits camarades appartenant à une autre religion. Je fis plus. Comme, en 1899, la grande querelle résidait dans la solution de cette question : la raison d'Etat doit-elle supplanter la Justice ou inversement, en classe, je fis en détail le récit de la mort du duc d'Enghien, accomplie par Bonaparte, et comment, à Sainte-Hélène, il justifia son action. Cela fit réfléchir les enfants, et comme je les voyais épris du sentiment de justice, et trouvant cet acte odieux, je leur conseillai d'expliquer à leurs parents ce que je venais de leur conter et de leur faire comprendre qu'il n'y a qu'une morale. Quelques pères vinrent me serrer la main, et ce fut pour moi une bien douce joie.

Témoignages originaux,
Fonds Ozouf,
musée national de l'Education

L'aristocratie déchirée

Si une partie importante de la noblesse anime le camp antidreyfusard et donne son obole au monument Henry, de nombreux aristocrates, comme en témoigne A la recherche du temps perdu *ou encore, la grand-mère de la comtesse de Pange, adoptent des valeurs libérales favorables au capitaine Dreyfus.*

La conversation, à laquelle j'étais censée ne prendre aucune part ni même écouter, était très animée. Ma grand-mère n'admettait pas le silence ni les sujets de conversations trop ordinares, tels que la pluie et le beau temps ou les maladies. Il fallait discuter de politique, d'art ou de littérature, de politique surtout. Ma grand-mère se plaisait à insister avec malice sur les questions les plus irritantes avec références aux plus récents articles du *Journal des Débats* ou du *Correspondant*. On citait quelquefois aussi la *Revue des Deux-Mondes*, mais avec réticence ! Certaines hardiesses de romanciers paraissaient inadmissibles. Mon père refusait souvent la discussion mais se laissait gagner malgré lui et finissait, à ma grande joie, par se fâcher. On discutait de l'affaire de la fusion monarchique, du drapeau blanc, du 16 mai, du boulangisme. Plus tard ce fut le ralliement, le combisme, les fiches, les culturelles et l'inoubliable affaire Dreyfus. Sur chacun de ces sujets il y avait des avis différents. Ma grand-mère était beaucoup plus libérale que mon père. Il avait passablement réagi en politique contre le libéralisme traditionnel des Broglie. Siégeant depuis 1894 à la Chambre des députés, il était excédé des fautes du régime et on en revenait toujours à la Révolution. [...]

Nous étions à Saint-Amadour à l'automne de 1898 tandis que se déroulait à Rennes la fameuse révision du procès de Dreyfus, ce qui causait autour de nous une grande excitation des esprits. Un de nos voisins, le comte de Bréon, chef d'escadrons d'artillerie en garnison à Rennes, était membre du jury. Mes parents étaient liés avec cette famille et j'avais souvent été en voiture au château de Bréon. Il est vrai qu'à Bréon je m'intéressais surtout à un trésor gallo-romain découvert dans les

environs. On m'avait montré les torques et les fibules en bronze, les colliers et les pièces de monnaie d'or, toutes choses qui parlaient à mon imagination plus que la politique antisémite de M. Drumont. On a peine à se représenter aujourd'hui l'état de passion entretenu dans tous les milieux par cette affaire déjà ancienne.

Le premier procès Dreyfus remontait à plusieurs années en arrière (en 1894). Naturellement je ne pouvais en avoir aucun souvenir à l'âge de 6 ans. Mais, en 1898, on prit la peine, sur mes questions, de m'expliquer toute l'histoire de la trahison présumée du capitaine Dreyfus et des polémiques qui s'ensuivirent entre gens « bien et mal pensants », comme si personne, même les enfants, n'en devait rien ignorer. Mes parents n'avaient pas comme tant d'autres gens, des préjugés *a priori* antisémites. Mon grand-père d'Armaillé avait été très lié avec les Rothschild qu'il rencontrait souvent dans les ventes d'objets d'art et ma mère avait conservé de bonnes relations dans ces milieux. Mais depuis que mon père se mêlait de politique et était entré dans un clan d'extrême droite, sa pensée devenait de jour en jour plus réactionnaire et s'éloignait du libéralisme traditionnel de notre famille.

Un « conservateur » bien pensant devait admettre sans discussion que le procès de Dreyfus mettait en péril la religion catholique et l'honneur de l'armée française. Supposer que Dreyfus pouvait être innocent et n'avait pas mérité sa condamnation, c'était faire le jeu infâme des francs-maçons qui voulaient détruire à la fois le prestige de l'armée et les fondements du catholicisme. Le député catholique et conservateur de l'arrondissement de Château-Gontier ne pouvait qu'être antidreyfusard. Mon père et ma mère l'étaient donc de tout leur cœur, mais ce n'était pas le cas de tous nos parents et amis. J'entendais citer avec indignation l'opinion d'un oncle de vieille souche libérale qui osait soutenir que la culpabilité du capitaine Dreyfus n'était pas prouvée. Plutôt que de commettre une injustice, on avait raison de réviser le procès. Un autre des habitués du salon de ma mère, M. S…, se permettait de prétendre que la religion catholique et l'honneur de l'armée n'avaient rien de commun avec le procès d'un petit espion sans importance comme il s'en trouvait des centaines dans l'histoire militaire, et que des juges même galonnés pouvaient quelquefois se tromper. En prononçant de telles paroles, on risquait fort de se faire rayer à tout jamais de la fameuse liste des intimes déposée chez notre concierge !

A table, à Paris comme à la campagne, on ne parlait plus que de l'« affaire » et bien heureux quand on ne se disputait pas, car ma grand-mère, toujours frondeuse et contente d'animer la conversation par des paradoxes, était, elle aussi, suspecte de « dreyfusisme » ! Un grand portrait de famille était pendu sur un panneau de la boiserie Louis XIII de la salle à manger de Saint-Amadour. C'était un sévère magistrat en perruque, Louis-François d'Armaillé, qui avait exercé les hautes fonctions de président du Parlement de Bretagne à Rennes. Il tenait à la main une sonnette. Lorsque la discussion devenait trop vive, ma mère pointait un index vers le tableau disant : « Prenez garde ! *Il* va sonner ! », et je n'étais pas loin de croire que le prodige allait se produire. Je me souviens d'avoir trouvé très vraisemblable cette caricature célèbre de Forain où l'on voyait, à un dîner de famille, la maîtresse de maison déclarer avec un sourire : « Nous ne parlerons pas de l'affaire ! » Puis, au verso de la même feuille, les mêmes personnages dans un désordre inexprimable, la table renversée, la vaisselle en miettes, les femmes décoiffées, les hommes se prenant à la gorge et jusqu'au chien ayant une fourchette plantée dans le derrière avec cette simple légende : « Ils en ont parlé ! »

La promiscuité de Rennes, ville sur laquelle la France entière avait les yeux fixés, mettait de l'animation dans notre coin perdu de l'Anjou. On attendait fiévreusement les journaux locaux et ceux de Paris et on multipliait les visites à Bréon, espérant avoir des détails inédits. Des envieux se rendaient à Rennes sans autre but que de voir la tête de ce Dreyfus tant discuté et de recueillir des bribes du débat. [...]

On ne parlait que de l'*Affaire*. On croyait savoir que M. de Bréon, influencé par un prêtre, son directeur de conscience, allait au grand scandale des bien pensants voter non coupable.

Enfin, ce fut le grand jour. Je vois encore ma mère entrant dans ma chambre, son déshabillé mauve tout en désordre et le petit bonnet de dentelle qu'elle mettait le matin dans ses cheveux, posé de travers. Elle brandissait un télégramme envoyé de Rennes par Henri de Vogüé, en criant à la cantonade : « Grâce à Dieu ! *il* est condamné ! » Dreyfus avait été condamné à l'unanimité sauf une voix... On racontait après le verdict que M. de Bréon avait communié le matin et entendu trois messes afin de recevoir les lumières du Saint-Esprit en cette ténébreuse circonstance. Tout cela prêtait à d'âpres commentaires. On aurait dit que le destin de la France et l'avenir de la chrétienté était suspendus à l'issue de ce procès, à cette condamnation d'un officier obscur, simplement parce qu'il était juif, alors que, innocent ou coupable, il ne méritait « ni cet excès d'honneur ni cette indignité ». Il va de soi que je n'avais pas encore le moindre esprit critique et je partageai sincèrement le soulagement général en apprenant cette grande nouvelle.

comtesse Jean de Pange,
née Pauline de Broglie,
Comment j'ai vu 1900,
Grasset, Paris, 1962

UN DINER EN FAMILLE

(PARIS, CE 13 FÉVRIER 1898)

PAR CARAN D'ACHE

— Surtout ! ne parlons pas de l'affaire Dreyfus !

— Ils en ont parlé…

Les dîners : « A table, à Paris comme à la campagne, on ne parlait plus que de l'“Affaire” et bien heureux quand on ne se disputait pas… »

Un souper chez Lévy

Né en 1884, Bloch a connu l'Affaire comme lycéen puis comme étudiant. Le futur auteur de La Nuit kurde *décrit ici un mini pogrom populaire survenant aux lendemains du suicide du colonel Henry, en Bretagne (probablement à Rennes). Il nous fait sentir son extrême violence. On voit aussi, bien avant Vichy, comment le représentant en cycles, un « aryen » simple citoyen et peu concerné par ces événements, parvient à sauver des Juifs sans défense.*

LE PLACARD ANTIJUIF
Rédaction et Administration : 56, Rue Rochechouart, Paris
DEMAIN !

Sans trop savoir comment, le voyageur se trouva dans la salle à manger du Juif. Il entendit le bruit d'une grosse chaîne de sûreté qu'on fermait derrière lui. Un instant après, Lévy le rejoignait, triste, mais souriant et toujours craintif. [...]

«Vraiment, je suis confus, mon cher Monsieur Lévy, je n'aurais pas dû...»

Le petit homme gras fit, de la main, un geste si mesuré, si noble, que le voyageur s'arrêta court. Il n'avait pas prévu que ce Juif pût bouger sans se couvrir de ridicule. Mais le Juif était *chez lui*, hôte, prêtre et maître de maison, et non plus dans la rue où toutes les aventures menacent l'homme et la marchandise. Quand on y réfléchit, cela suffit à faire une différence.

«Les charmants enfants ! »,

dit le voyageur, dans la basse intention de se faire agréer par les quatre yeux noirs.

«David, Julie, un garçon et une fille »,

répondit l'homme en les regardant. L'orgueil engraissait le ton de sa voix. Mais il s'abstint de les déranger ; ils ne sourcillèrent pas plus que s'il ne s'était pas agi d'eux.

Alors brusquement il se passa quelque chose d'inattendu et d'affreux. Un sourd piétinement de frelons en colère montait depuis quelques instants dans la rue. Sur un signal, il éclata tout à coup en vociférations. Les volets résonnèrent lourdement. Des injures ignobles sifflèrent. Des coups de canne fouettèrent les barreaux du soupirail. Un tumulte de foule furieuse battit la petite boutique. Une masse lourde frappait à coups réguliers la porte dont le bois craquait.

«Salauds ! Salauds ! A mort les Youpins ! A mort les Youtres ! Salauds ! Les cochons ! les traîtres ! vendus ! Mort aux Juifs ! Mort aux Juifs ! On aura les tripes du Lévy et le cul de sa salope de putain ! Youpins ! Salauds ! Prussiens ! A l'eau les mômes ! Graine de vendus ! Graine de Youpins ! C'est leurs tripes qu'il nous faut... faut... faut...!»

Sans transition, la *Marseillaise antijuive* éclata. Le bruit était profond et enflé ; il disait la grandeur de la foule qui était là devant. La petite boutique résonnait comme l'intérieur d'une caisse à tambour sur laquelle un enragé aurait battu la charge. Des coups plus secs, des sifflements stridents et le choc grêle des cannes contre les ferrures des volets tranchaient sur le grondement massif de l'émeute. Mais sans arrêt, battant les deux secondes, la masse lourde tombait sur le bois de la porte qu'elle broyait peu à peu.

Le voyageur avait mis la main à sa poche revolver ; le sang lui battait dans les yeux ; il regarda d'un air hébété autour de lui en retenant son souffle.

La salle à manger s'était remplie de visages pâles ; à la porte de la cuisine une femme de petite taille, au nez maigre et aux yeux ardents, écoutait fixement. Derrière elle une figure épaisse et deux gros yeux ternes d'homme suaient l'angoisse sous la crêpelure d'une tignasse laineuse. Un vieillard était tombé sur une chaise ; la lumière du gaz reflétait sur son front élevé ; ses mains maigres passaient en frémissant dans de grands cheveux blancs. Un long albinos voûté clignait des yeux en se rongeant les ongles, et ses épaules remontaient avec des secousses nerveuses. Une voix de vieille arriva :

« Min Gott ! Min Gott ! » puis continua en un jargon incompréhensible, sur un ton de colère pleurarde.

Le voyageur vit cela, et se sentit au milieu d'un autre peuple, en d'autres temps, plongé dans des mœurs étrangères. Il éprouva ce vertige anormal, cette horreur sans racine qui sont nos sauvegardes au long des pires cauchemars ; il reconquit assez de lucidité pour se demander ce qu'il faisait parmi ces gens-là.

Puis un tintement cristallin et grelottant heurta son ouïe. Il eut la notion d'un objet pondérable qui traversait l'air à un doigt de son front, tombait sur la table, brisait net le dessous-de-plat et s'en allait mourir sur le plancher.

Ce fut le réveil. Il se redressa brusquement :

« Mais, nom de Dieu, ces animaux-là vont nous tuer ! Qu'est-ce qu'ils ont donc contre vous ? »

Lévy se tenait appuyé sur le dormant de la porte qui menait à la petite boutique. Il supputait la force de résistance des volets sur qui le bélier retombait toutes les deux secondes : boum, boum. Ses lèvres avaient tourné au vert. Il murmura :

« C'est le suicide du colonel Henry, cette nuit, au Mont-Valérien. Vous ne savez donc pas ? »

Le voyageur n'avait pas lu le journal. Il ne connaissait de l'Affaire que ce qu'on en racontait à table d'hôtes ou dans les couloirs d'express. Il n'y attachait pas grande importance.

« Ce n'est pas une raison pour nous assassiner. Qu'est-ce qu'ils ont cassé ? »

D'une ébauche de geste, Lévy montra le petit carreau brisé d'une imposte que le volet de la porte d'entrée ne couvrait pas.

Mais un changement s'était fait dans le bruit de la foule. Un demi-silence, où se percevaient des chuchotements et des rires, mais où la basse grondante du rassemblement subsistait pour signifier qu'ils restaient là tous.

« Qu'est-ce qu'ils machinent maintenant ? Ce sont donc des sauvages, chez vous ? »

« Et ailleurs ? », souffla le petit marchand avec une inexprimable amertume. Le voyageur comprit quelque chose. A vrai dire il commença à le comprendre de chaque côté de la colonne vertébrale où un froid lui courut. Et il se tourna vers le Juif comme s'il ne l'avait pas encore vu. Avec une sorte d'antipathie respectueuse.

Mais il n'eut pas le loisir de se livrer à des réflexions d'ordre historico-ethnique. Une épouvante passa sur les visages qui remplissaient la pièce. Et cela le fit pivoter sur place aussi rapidement qu'il est donné à un être humain de le faire.

Le demi-silence de la foule s'était épaissi. En haut de la porte d'entrée, par l'imposte brisée, une face ignoble de voyou s'élevait avec précaution. Sans doute grimpé à califourchon sur deux camarades superposés, il se hissait en prenant son temps. On vit d'abord, dans la pénombre, sa casquette de cycliste, puis des cheveux en désordre, puis une paire de petits yeux méfiants, puis, tout d'un coup, la figure et les épaules, la bouche ricanait nerveusement.

Il cligna des yeux pour distinguer quelque chose à travers la nuit de la boutique. La porte de la salle à manger devait se découper comme un rectangle lumineux. Le voyou regarda, avec circonspection. Puis il éclata de rire.

« Ho ! les cochons sont au fond, dans leur turne ! Il n'y a qu'à y foutre le feu. On les aura comme on voudra ! »

La voix retentissait dans la pièce même, étrangement proche. Le regard du drôle s'alluma sur un guidon de bicyclette qui mettait un reflet de nickel dans le magasin. Il reprit avec fureur :

« Faut y foutre le feu ! On aura les Youpins et les machines qu'ils ont volées ! »

Les vociférations se levèrent derechef en rafale.

« Faut y foutre le feu ! Faut faire griller les tripes aux Youtres ! On reprendra les machines ! »

Le visage du voyou dansa devant l'imposte. Son échelle vivante devait bouger. Il hurla :

« Gare donc, là-dessous, hé, tas de merdeux ! »

Il perdit l'équilibre, se raccrocha machinalement aux débris de vitre qui tenaient après le cadre, se coupa, poussa un juron et disparut, à la façon d'un polichinelle de Guignol. Lévy se tourna vers sa femme :

« C'est le garçon de chez Chartier. Tu as vu ? »

Et il sourit faiblement.

Les coups de canne, les sifflets à roulettes, le bélier, les pierres reprirent. Mais des lueurs d'une espèce nouvelle naquirent dans le trou de l'imposte. Les gens de la petite salle se regardaient en blêmissant. Ce devait être des journaux qu'on enflammait.

« Ah ça, est-ce que j'ai ma tête à moi ? Mais c'est qu'ils vont le faire comme ils le disent ! » s'écria le voyageur. Il dévisagea successivement chacun de ces pauvres diables. Il reconnut la terreur, la haine, l'angoisse poussée jusqu'à l'agonie – pas un signe de révolte.

Alors il fut secoué par un mépris sans bornes, et posa sur sa table, d'un air provocant, son revolver, un petit Browning bronzé de dix-neuf quatre-vingt-quinze, dont il ne s'était jamais servi.

La vieille femme, dans la cuisine, éclatait en cris stridents. L'homme de haute taille, à la barbe noire correcte, aux yeux bruns et à la peau nette, se sentit vraiment d'une race supérieure. Le mot d'aryen lui revint. Il ne savait pas ce que ça voulait dire. Mais il comprenait qu'il ne voulait pas mourir et que ces gens-là se laisseraient égorger comme des moutons.

« Je suis un aryen, entendez-vous ? Un aryen ! Voici mon revolver. Faites-la taire. Le premier qui entre, je l'abats. »

Des vieux souvenirs de romans militaires agitaient sa nature pacifique. Il avait pris un ton de commandement.

Une seconde figure, éclairée par en bas de reflets cuivrés, montait devant l'imposte. Une figure de séminariste singulièrement excité. Il était clair qu'il se préparait à jeter les journaux enflammés dans la boutique.

D'une voix brève – son ancienne voix de sergent de réserve – le voyageur ordonna :

« Ouvrez les robinets. Remplissez les brocs. Moi je vais là. »

Il prit son revolver et pénétra dans la boutique. La chose se passa vite et avec une grande simplicité.

On entendit une voix grave dans la nuit :

« Le premier qui entre, le premier qui lance quoi que ce soit par cette ouverture, je lui envoie une balle dans la tête. Je ne suis pas un Juif, mais je ne tiens pas à crever ici comme un chien. »

Le séminariste dégringola avec célérité d'une position par trop exposée. Il y eut un remous dans la foule. Alors le voyageur fut visité par une inspiration. Il s'approcha de la porte et en mania le loquet intérieurement. Puis à haute et intelligible voix :

« Les gendarmes, avec moi ! Prenez garde aux vélos ! »

Le bruit du loqueteau et la résonance très timbrée de cette voix produisirent un effet prodigieux. Quelques galops de semelles sonnèrent, en s'éloignant, sur la chaussée. Ce fut le signal de la débandade, Une voix prudente cria :

« Vive l'armée ! Vivent les gendarmes ! »

La foule reprit avec d'autant plus de cœur qu'elle était envahie par la venette. Un malin, qui était peut-être un policier, saisit la conjoncture au bond et ajouta :

« A la Caserne ! Allons saluer les petits soldats ! »

Ce fut la vanne levée qui vide un étang. La masse s'ébranla. On en perçut la longue houle contre les volets de la boutique, derrière quinze millimètres de bois. Le grondement des conversations pacifiques se mêlait à la vibration clapotante des pieds sur le sol. On ne pensait plus à Lévy. Les gens étaient fort contents de s'en tirer honorablement, avant les derniers excès. Un ou deux cris de :

«Mort aux Juifs ! »

sauvèrent, sans écho, l'honneur de la retraite. Le voyageur s'usait le pouce à lever et à abattre le cran de sûreté de son petit Browning.

Le sentiment d'une écrasante supériorité engendre la bonhomie. Il rentra dans l'arrière-boutique avec un sourire qui découvrait ses dents très blanches au-dessus de sa barbe brune.

« Pas plus malin que ça, vous voyez. Et maintenant si on dînait ! »

Jean-Richard Bloch,
Lévy, premier livre de contes,
Gallimard, Paris, 1925

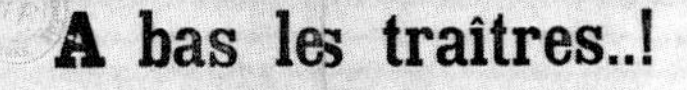

«Comment une affaire aussi sale a-t-elle pu arriver à Paris?»

Sholem Aleikhem, l'un des écrivains les plus célèbres de la littérature yiddish, retrace ici le dialogue entre Menahem-Mendl, qui a quitté sa bourgade de Kassrilevké pour la grande ville d'Odessa, et son épouse qui y est demeurée. Au village comme à la ville, les juifs de la Russie tsariste suivent l'Affaire avec une extrême attention.

Dreyfus à Kassrilevké

Je ne saurais dire si l'affaire Dreyfus a suscité quelque part, dans le vaste monde, un branle-bas comparable à celui qui secoua notre ville de Kassrilevké.

On dit qu'à Paris aussi ça bouillait comme dans une marmite. Les gazettes en débordaient – littéralement. Des généraux se fusillaient les uns les autres. De jeunes braillards, des énergumènes, parcouraient les rues, en agitant leurs casquettes et faisant un vacarme de tous les diables. Les uns criaient à tue-tête : « Vive Dreyfus ! » Les autres leur lançaient des « Vive Esterhazy ! » Et les Juifs étaient traînés dans la boue comme c'est l'usage... Mais jamais, jusqu'à la venue du Messie, la ville de Paris ne connaîtra autant de tracas, de soucis, de bouleversements que nous en avons subis à Kassrilevké.

Ne me demandez pas comment on a eu vent à Kassrilevké de l'affaire Dreyfus. On l'a apprise par la même voie

que la nouvelle de la guerre entre les Anglais et les Boers. [...]

Cependant, la question demeure entière : où Kassrilevké a-t-elle pêché l'affaire Dreyfus ?

Chez Zeidl, voyons !

Ce Zeidl, fils de reb Chayé, est en effet le seul et unique personnage de la ville qui soit abonné au journal hébreu *Hatzefirah* et c'est de lui qu'on apprend toutes les nouvelles, c'est-à-dire pas directement, mais par et à travers lui. C'est Zeidl qui les lit et les gens de Kassrilevké les interprètent. Il leur raconte tout et eux se livrent aux commentaires. Il leur transmet ce qui est écrit et ils en déduisent souvent le contraire, parce qu'ils comprennent les choses mieux que lui...

Un jour, Zeidl, fils de reb Chayé, entre dans la Maison de prières avec une histoire toute fraîche : à Paris, raconte-t-il, on aurait condamné un capitaine juif, un nommé Dreyfus. Il est accusé d'avoir livré à une puissance étrangère des secrets d'Etat. De prime abord, cette nouvelle n'a guère éveillé d'intérêt. Elle est entrée, comme on dit, dans une oreille pour sortir par l'autre. Quelqu'un a même fait cette remarque :

« Il y a tout de même d'autres manières de gagner sa pauvre croûte ! »

Un autre s'est déclaré satisfait du jugement :

« Bien fait pour lui ! clame-t-il. Ça lui apprendra à s'être poussé dans la “haute”. Pourquoi s'est-il mêlé des affaires de la Cour ? »

Plus tard, Zeidl rapporta une nouvelle version de l'affaire, d'après laquelle l'accusation était pure calomnie et le capitaine juif, ce Dreyfus dégradé et banni, était absolument innocent. Bref, selon Zeidl, il ne s'agissait que d'une intrigue de généraux. Alors, mais alors seulement notre petite ville a commencé

Journal évoquant l'Affaire : « On se jetait sur le journal dès son arrivée. C'est là, à la poste même, qu'on mâchait et remâchait les informations. »

de s'intéresser à cette cause, et Dreyfus a été adopté par tout Kassrilevké.

Dès lors, pas de conversation sans aborder ce sujet.

« Vous connaissez la dernière ? »

« Pardi ! »

« Relégation à vie ! »

« Sans rime ni raison... »

« Ils ont condamné un innocent ! »

Quelque temps après, Zeidl avait encore du nouveau : le fameux procès serait peut-être révisé, attendu que des hommes intègres se tenaient prêts à prouver, à la face de l'univers, que toute cette affaire ne reposait que sur une erreur. La ville de Kassrilevké se mit alors à s'en occuper sérieusement. D'abord parce que Dreyfus était un des nôtres. Ensuite, on se demandait comment une affaire aussi sale avait pu éclater à Paris. Fi ! Ce n'est pas très beau de la part des Francillons ! Et les paris allaient leur train : Un tel tenait pour certaine la révision du procès. Un autre était sûr du contraire. « Non, clamait-il, la chose jugée est sans appel ! »

Puis, on n'attendait même plus l'arrivée de Zeidl à la Maison de prières avec des nouvelles toutes fraîches du capitaine. On allait le trouver chez lui.

Puis on n'eut même plus la patience d'attendre qu'il ait reçu sa gazette. On l'accompagnait au bureau des postes et on se jetait sur le journal dès son arrivée. C'est là, à la poste même, qu'on mâchait et remâchait les informations directement apportées par la gazette. On discutait, tous en même temps, comme il se doit. Plus d'une fois, Monsieur le Receveur fit remarquer à la foule – sur un ton poli, il est vrai – qu'un bureau de postes n'est pas une synagogue.

« Vous n'êtes pas ici dans une "choule" youpine, sales Juifs que vous êtes ! Ici on ne boursicote pas ! »

Mais les gens ne prêtèrent, à ces paroles, aucune attention. Malgré les insultes, ils continuaient à lire l'*Hatzefirah* et à échanger leurs impressions sur l'affaire Dreyfus.

Il importe que vous sachiez qu'à Kassrilevké on ne parlait pas du seul Dreyfus. Chaque jour entrait en scène un nouveau personnage : d'abord ce fut Esterhazy, ensuite « Pikert », puis le général « Merci », puis encore « Pelly », et enfin « Gonzi ». On en tira une règle de grammaire générale : chez les Francillons, chaque nom de général se termine obligatoirement par la lettre *i*. Il y avait pourtant des objecteurs :

« Et que fais-tu de ce "Boudefer" ? »

« Tu ne vois donc pas qu'il a été dégommé ? »

« Il y passeront tous, tu verras ! »

En revanche, deux personnages ont conquis tout Kassrilevké. Tout le monde les adorait – sans exception. C'étaient les bien nommés « Emile Zol » et « Lambori ». Pour Emile Zol, surtout, chacun était prêt à donner sa vie. Oh, cet Emile Zol ! Si Emile Zol avait pu seulement visiter Kassrilevké, la ville l'aurait accueilli comme un roi. On l'aurait porté en triomphe.

«Que dites-vous de ses lettres ouvertes?»

« De vraies perles, des diamants, des brillants. »

« Lambori », lui aussi, avait conquis le cœur de toute la ville. On en était fou ; on se pourléchait de ses plaidoiries, bien que personne à Kassrilevké ne l'ait jamais entendu parler. Mais la simple raison leur disait qu'il devait discourir à la perfection.

Je ne saurais dire si la famille du fameux capitaine attendait le retour de Dreyfus de cette charmante île du Diable avec autant d'impatience que les Juifs de Kassrilevké. On aurait dit qu'ils étaient du convoi. Ils avaient le sentiment net de voguer à ses côtés : la tempête s'élève et balaye l'océan, les vagues secouent le bateau comme un fétu de paille, le projettent vers le ciel, l'attirent vers les abîmes...

«O Maître du monde ! priaient-ils du fond de leur cœur, pourvu que Tu le ramènes en paix là où son procès doit être révisé ! Ouvre donc les yeux des juges et éclaire leur esprit afin qu'ils découvrent le vrai coupable et que le monde entier se rende enfin compte de notre innocence. Amen séla !»

Le jour où arriva la bonne nouvelle annonçant le retour du capitaine Dreyfus chez lui, ce fut une fête délirante à Kassrilevké. Pour un peu tous les commerçants auraient fermé boutique.

« Vous le savez déjà ? »

« Béni soit son Saint Nom ! »

« J'aurais bien voulu être là quand il a revu son épouse ! »

« Et moi, j'aurais voulu voir ses mioches quand on leur a dit : "Papa est là !" »

Les bonnes femmes de Kassrilevké, le visage enfoui dans leur tablier, feignaient de se moucher pour cacher leurs larmes. Toute miséreuse que fût la bourgade de Kassrilevké, personne n'aurait hésité à verser son dernier sou pour se payer un voyage en France et se rendre compte *de*

Illustration du *Petit Journal* : L'attentat contre maître Labori. « Inouï ! Incroyable ! Quel crime affreux ! C'est à n'y rien comprendre ! Pire qu'à Sodome et à Gomorrhe... »

visu de ce qui s'y passait.

Lors du procès, notre Kassrilevké était plus que jamais en ébullition. On ne se contentait plus de s'arracher le journal. On tiraillait Zeidl lui-même, à qui mieux mieux, au risque de le mettre en pièces. On en avait perdu le boire et le manger, on ne dormait plus. On attendait fébrilement le lendemain, puis le surlendemain, et ainsi jour après jour.

Tout à coup, dans la ville déjà ébranlée, l'agitation fut à son comble. On venait d'apprendre l'attentat contre maître Lambori. Les gens de chez nous prenaient alors à témoin ciel et terre.

« Inouï ! Incroyable ! Quel crime affreux ! C'est à n'y rien comprendre ! Pire qu'à Sodome et à Gomorrhe... »

L'attentat leur avait donné le coup de grâce. C'était comme si la balle les avait atteints eux-mêmes, en plein cœur. Kassrilevké se sentit meurtrie dans sa chair.

« Seigneur de l'Univers ! suppliaient-ils, manifeste ta puissance ! Fais un miracle, Toi qui le peux ! Que Lambori survive ! »

Et Dieu, béni soit-Il, a fait un miracle. Lambori est resté en vie.

Le dernier jour du procès, les gens de Kassrilevké étaient comme secoués par la fièvre. Ils auraient voulu être plongés dans un sommeil de vingt-quatre heures et ne se réveiller qu'au moment où Dreyfus, avec l'aide de Dieu, serait proclamé innocent et libre. Mais comme un fait exprès, personne n'a pu fermer l'œil cette nuit-là ! Tous se tournaient et se retournaient dans leur lit, soutenant une guerre héroïque contre les punaises, en attendant l'aube.

Au petit matin, tout le monde s'est rué vers le bureau de poste. Il était encore fermé, le portail aussi. Bientôt, tout Kassrilevké était rassemblé là. Dans la rue noire de monde, nos gens allaient et venaient, bâillant et s'étirant, tortillant leurs papillotes et fredonnant des alléluias.

A peine Yarémé, le concierge, a-t-il ouvert les portes, que nos Juifs se sont engouffrés dans le bâtiment, tous à la fois. Yarémé était furieux. Voulant s'affirmer maître des lieux, il s'est mis à les refouler, sans ménagement, en les abreuvant d'injures. Ils ont donc attendu dehors la venue de Zeidl. Et quand ce même Zeidl leur a lu dans sa gazette le jugement prononcé, en leur disant que l'accusation demeurait, le vacarme est monté jusqu'aux cieux. Les reproches véhéments ne visaient pas seulement les juges iniques, mais encore les généraux parjures et tous les Francillons qui avaient si peu brillé dans l'Affaire, et Zeidl lui-même :

« C'est faux ! criait tout Kassrilevké d'une seule voix. Un tel verdict n'est pas possible. Les cieux et la terre n'ont-ils pas juré que la vérité doit surnager comme une goutte d'huile sur l'eau ? Allons, allons, ne nous raconte pas de bobards ! »

« Crétins que vous êtes ! criait le pauvre Zeidl de toutes ses forces en leur fourrant le journal sous le nez. Lisez donc vous-mêmes. Tenez ! Voyez donc ce qu'écrit mon journal ! »

« Ton journal... ton journal... scandale plutôt ! hurlait Kassrilevké. Tu te tiendrais avec un pied au ciel et l'autre sur la terre que nous ne te croirions pas. C'est une chose impossible. Non, non et non. Cela ne se fait pas ! Cela n'existe pas ! »

Et maintenant, dites-moi, qui avait raison ?...

Sholem Aleikhem,
Le Tailleur ensorcelé et autres contes,
Albin Michel, Paris, 1960

Dialogue épistolaire

Scheiné-Scheindl de Kassrilevké
à son époux Menahem-Mendl
à Yéhoupets

[...] Je vais te raconter ce qui s'est passé chez nous, et dont on jase partout. Tu connais, n'est-ce pas, Meïr-Motl, fils de Moché-Meïr, qui a pour fille Ratsl. Eh bien, c'est un drôle de phénomène, cette Ratsl : une mijaurée, une mam'selle qui a de l'instruction, cause en français allongée sur un sofa, et ne se lie avec personne. Tu penses, elle est issue d'une lignée de bouchers ! Comme dit maman : « Les mérites des aïeux, ce n'est pas rien !... » Bref, on lui propose des partis du monde entier, et elle fait toujours la difficile. Tous ceux qu'on lui présente ne lui plaisent pas. Elle veut un fiancé doté de toutes les qualités : beau, intelligent, riche, la perle rare, quoi ! Des marieurs, après bien des recherches, lui ont déniché un fiancé, une merveille dit-on, le fin des fins, bien qu'originaire d'une petite bourgade, Avritch. Une rencontre a été organisée et, comme de coutume, on a laissé les deux jeunes gens dans une pièce pour qu'ils puissent faire connaissance. Alors, la fille dit au garçon : « Quoi de nouveau chez vous au sujet de l'affaire Dreyfus ? » « Au sujet de quel Dreyfus ? » demande-t-il. Et elle : « Quoi, vous ne savez pas de quel Dreyfus il s'agit ? » « Non, de quoi fait-il commerce ? » Elle s'est sauvée, à demi évanouie d'indignation. Quant au pauvre garçon, toute honte bue, il est retourné chez lui à Avritch. Echec pour lui, échec pour elle, échec pour tous deux. Mais

Emile Zola : « Et pourquoi aussi ce Zol devait-il s'enfuir ? »

dis-moi, Mendl, toi qui côtoies tant de gens, qui est ce Dreyfus pour qui le monde entier s'agite ?

Scheiné-Scheindl

Menahem-Mendl de Yéhoupets
à son épouse Scheiné-Scheindl
à Kassrilevké

[...] En ce qui concerne ta question sur Dreyfus, c'est une très belle histoire. La voici : à Paris vivait Dreyfus le capitaine, je veux dire un capitaine qui s'appelait Dreyfus. Esterhazy était commandant (un commandant est au-dessus d'un capitaine, ou peut-être est-ce l'inverse, le capitaine est supérieur). Il était, je parle de Dreyfus, juif, et Esterhazy, le commandant, était chrétien. Alors, il a écrit le bordereau. C'est-à-dire que le commandant Esterhazy a écrit le bordereau, et il a rejeté toute la faute sur lui, sur Dreyfus. Dreyfus a voulu se disculper. On l'a donc jugé et condamné à rester pour toujours sur une île au milieu de l'océan, seul et emprisonné. Zola a ameuté les gens et a démontré, preuves en main, qu'on ne pouvait pas condamner Dreyfus, puisqu'il savait, lui, que ce n'était pas Dreyfus qui avait écrit le bordereau. Que voulait-on de lui ? C'était là le travail d'Esterhazy. Alors on a jugé Zola et on l'a condamné à la prison. Il a réfléchi et s'est sauvé. Un autre, un colonel « Pickert », a alors, lui aussi, commencé à crier et à protester. Là-dessus est arrivé un « Merci », général celui-là, puis un Roger, aussi un général, et encore beaucoup d'autres généraux, qui ont fait de faux témoignages contre Dreyfus. Un scandale a éclaté chez les Francillons pour qu'on ramène Dreyfus, et on l'a ramené à Rennes pour le juger. Un avocat est arrivé de Paris et on a voulu le tuer. On a tiré sur lui par-derrière. Il n'a fait qu'une bouchée de tous les généraux. Malgré cela, on a condamné Dreyfus à nouveau, mais on l'a relâché aussitôt, c'est-à-dire coupable, mais pourtant non coupable, et quelle importance ! Maintenant, comprends-tu l'histoire de Dreyfus ?

Menahem-Mendl

Scheiné-Scheindl
à Menahem-Mendl

[...] Quant à l'histoire de Dreyfus telle que tu me l'as décrite, je veux bien être pendue si j'y comprends un traître mot. Comment un Juif peut-il être capitaine et qu'est-ce que c'est que ce « bondereau » dont l'un accuse l'autre ? Et pourquoi aussi ce Zol [*sic*] devait-il s'enfuir ? Pourquoi voulait-on le tuer justement par-derrière et pas par-devant ? Comme dit maman : « Il en sait autant sur ce qui lui arrive, que les chèvres en savent sur un jardin étranger. »

Scheiné-Scheindl

Sholem Aleikhem,
Menahem-Mendl le rêveur,
Albin Michel, Paris, 1975

CHRONOLOGIE

1894

• fin septembre : le service de renseignement français reçoit une lettre, le «bordereau», provenant de l'ambassade allemande qui annonce l'envoi de documents militaires.
• 15 octobre : arrestation d'Alfred Dreyfus.
• 31 octobre : *Le Soir,* puis *La Libre Parole* annoncent cette arrestation.
• 22 décembre : Dreyfus est condamné à la déportation perpétuelle par le conseil de guerre de Paris.

1895

• 5 janvier : dégradation d'Alfred Dreyfus dans la cour de l'Ecole militaire.
• 17 janvier : Félix Faure devient président de la République, succédant à Casimir-Perier.
• février : Mathieu Dreyfus rencontre pour la première fois Bernard Lazare et lui demande son aide.
• 13 avril : Dreyfus est transféré de Guyane à l'île du Diable.
• 1er juillet : le lieutenant-colonel Georges Picquart est nommé à la tête des services de renseignements.

1896

• février : Theodor Herzl publie son livre, *L'Etat des Juifs*.
• mars : une carte-télégramme, le «petit-bleu» envoyé par le commandant Esterhazy à Schwartzkoppen, l'attaché militaire de l'ambassade allemande, est interceptée par les services français.
• juillet : Picquart rouvre le dossier Dreyfus et découvre la similitude des écritures d'Esterhazy et de l'auteur du «bordereau». Il se rend compte de l'erreur judiciaire qui frappe Dreyfus.
• 3 septembre : fausse nouvelle de l'évasion de Dreyfus publiée par la presse anglaise et reprise en France.
• 14 septembre : *L'Eclair* publie par «devoir patriotique» une lettre échangée entre les ambassades allemande et italienne; cette note secrète contient l'expression «ce canaille de D.»; le journal transforme la dernière lettre en «Dreyfus».
• 2 novembre : le commandant Henry appartenant aux services d'espionnage français remet une lettre supposée provenir d'une correspondance entre les attachés militaires italien et allemand qui accable Dreyfus. C'est le «faux Henry», qui sera découvert en août 1898.
• 10 novembre : *Le Matin* publie le fac-similé du «bordereau».

1897

• 6 janvier : on éloigne Picquart en l'affectant en Afrique du Nord.
• 29 juin : de passage à Paris, Picquart se confie à son ami d'enfance, maître Louis Leblois; il l'informe de l'innocence de Dreyfus mais lui demande le silence.
• 13 juillet : Leblois rend visite à Auguste Scheurer-Kestner, vice-président du Sénat et l'informe de l'innocence de Dreyfus en lui demandant de garder le silence.
• octobre : voulant prévenir Esterhazy des efforts de Scheurer-Kestner en faveur de la révision, Henry lui envoie des lettres anonymes signées «Espérance» et lui fixe des rendez-vous clandestins.
• 30 octobre : Scheurer-Kestner déjeune avec le général Billot, le ministre de la guerre et l'informe de l'innocence de Dreyfus.
• 10 novembre : Henry met au point, avec Esterhazy, de faux télégrammes adressés à Picquart et signés «Esperanza» et «Blanche»; Il s'agit de lui attribuer la paternité du «petit bleu».
• 12 novembre : Castro reconnaît l'écriture d'Esterhazy, prévient Mathieu Dreyfus, qui se rend chez Scheurer-Kestner, lequel connaît déjà l'identité du coupable.
• 15 novembre : Mathieu envoie une lettre au ministre de la guerre accusant Esterhazy.
• 17 novembre : une enquête est confiée au général de Pellieux qui va conclure à l'innocence d'Esterhazy.
• 4 décembre : Jules Méline estime, devant la Chambre des députés, qu'«il n'y a pas d'affaire Dreyfus».

1898

• 11 janvier : acquittement d'Esterhazy.
• 13 janvier : *L'Aurore* publie la lettre de Zola «J'accuse»; des poursuites contre Zola sont votées par la Chambre; des manifestations contre Zola et les Juifs éclatent dans toute la France et se prolongeront plusieurs mois.
• 15 janvier : publication de la première lettre de savants, d'universitaires et d'écrivains favorables à la révision du procès contre Dreyfus.
• 19 janvier : le groupe socialiste de la Chambre renvoie dos à dos les «deux fractions bourgeoises

rivales» ; Jaurès, partisan de Dreyfus, signe néanmoins ce texte.
• 7 février : ouverture du procès contre Zola.
• 20 février : fondation de la Ligue des droits de l'homme et du citoyen.
• 23 février : condamnation de Zola.
• 2 avril : La Cour de cassation casse le jugement contre Zola pour vice de forme.
• mai : élections législatives ; Drumont est élu à Alger ; un groupe antisémite est formé à la Chambre.
• 15 juin : démission du cabinet Méline ; Henri Brisson lui succède avec Godefroy Cavaignac comme ministre de la guerre.
• 7 juillet : discours de Cavaignac contre Dreyfus ; il présente à la Chambre des pièces secrètes, dont la pièce «Ce canaille de D.».
• 12 juillet : arrestation d'Esterhazy.
• 13 juillet : arrestation de Picquart.
• 18 juillet : seconde condamnation de Zola par la cour de Versailles ; il part en exil à Londres.
• 13 août : le capitaine Cuignet découvre le «faux Henry».
• 31 août : suicide d'Henry au Mont-Valérien.
• 3 septembre : Cavaignac démissionne ; il est remplacé par le général Zurlinden.
• 17 septembre : démission de Zurlinden, qui refuse toute révision.
• 25 octobre : démission du général Chanoine, qui avait succédé au général Zurlinden ; manifestation antisémite place de la Concorde.
• 29 octobre : la Cour de cassation accepte la demande de révision du procès Dreyfus.
• 31 octobre : le cabinet Dupuy succède au cabinet Brisson.
• 4 novembre : évacuation de Fachoda.
• 14 décembre : *La Libre Parole* publie les premières listes de souscription en faveur de la veuve du lieutenant-colonel Henry afin de l'aider à mener son procès contre Joseph Reinach.
• 31 décembre : fondation de la Ligue de la patrie française.

1899
• 16 février : mort du président Félix Faure, adversaire de la révision.
• 18 février : élection d'Emile Loubet à la présidence de la République ; manifestation des droites nationalistes contre Loubet.
• 23 février : funérailles nationales de Félix Faure ; Déroulède tente un putsch ; arrestation de Déroulède et d'autres dirigeants nationalistes.
• 1er mars : la Chambre vote la loi de dessaisissement de la chambre criminelle de la demande de révision ; l'arrêt doit être rendu par la Cour de cassation toutes chambres réunies.
• 1er juin : arrestation de du Paty de Clam.
• 3 juin : arrêt de révision ; Dreyfus sera à nouveau jugé par le conseil de guerre de Rennes.
• 4 juin : le président Loubet est agressé aux courses d'Auteuil par le baron Christiani.
• 5 juin : Zola rentre en France.
• 11 juin : manifestation républicaine à Longchamp.
• 12 juin : démission du cabinet Dupuy, remplacé, le 22 juin, par le cabinet Waldeck-Rousseau avec le général Gallifet et le socialiste Millerand.
• 30 juin : Dreyfus débarque en France.
• 8 août : procès Dreyfus à Rennes.
• 10 août : arrestation de Déroulède et d'autres dirigeants nationalistes.
• 12 août : Jules Guerin s'enferme dans son «Fort-Chabrol».
• 9 septembre : Dreyfus est de nouveau reconnu coupable et condamné à la peine de dix ans de détention.
• 10 septembre : à la demande du président du Conseil Waldeck-Rousseau, le président Loubet signe la grâce de Dreyfus ; mort de Scheurer-Kestner.

1900
• 28 janvier : élections municipales ; la droite remporte la victoire ; succès nationaliste à Paris.
• 15 avril : ouverture de l'Exposition universelle.
• 14 décembre : loi d'amnistie générale pour tous les faits concernant l'Affaire.

1902
• avril : victoire de la gauche aux élections législatives ; à Paris, la droite nationaliste l'emporte.
• 5 octobre : funérailles de Zola.

1903
• 6 avril : Jaurès relance l'Affaire à la Chambre ; ouverture d'une enquête ; Combes obtient la majorité.
• 1er septembre : mort de Bernard Lazare.
• 26 novembre : requête en révision de Dreyfus.
5 mars **1904** : la Cour de cassation déclare recevable la demande de révision.

1906
• 18 février : Fallières devient président de la République.
• 12 juillet : la Cour de cassation casse sans renvoi le verdict de Rennes ; Dreyfus est réhabilité.
• 13 juillet : Dreyfus et Picquart sont réintégrés dans l'armée.

• 20 juillet : Dreyfus est fait chevalier de la Légion d'honneur.
• 25 octobre : Clemenceau devient président du Conseil et Picquart, ministre de la guerre.
4 juin **1908 :** transfert des cendres de Zola au Panthéon ; Gregori blesse Dreyfus ; il sera acquitté par un jury de la Seine le 11 septembre.
8 janvier **1914 :** mort de Picquart ; on lui accorde des funérailles nationales.
1917 : le commandant Alfred Dreyfus et son fils, le sous-lieutenant Pierre Dreyfus, sont engagées dans les durs combats et survivent l'un et l'autre à l'offensive Nivelle ; ils se rencontrent brièvement à la fin de l'été à Epernay.
19 avril **1921 :** mort de Joseph Reinach.
22 octobre **1930 :** mort de Mathieu Dreyfus.
11 juillet **1935 :** mort d'Alfred Dreyfus.
14 décembre **1945 :** mort de Lucie Dreyfus

BIBLIOGRAPHIE

Les témoins

Charles Andler, *Vie de Lucien Herr*, François-Maspéro, 1977.
Léon Blum, *Souvenirs sur l'Affaire*, Gallimard, 1935 ; rééd. Folio, préface de Pascal Ory, 1993.
Alfred Dreyfus, *Cinq Années de ma vie*, 1901 ; rééd. François-Maspéro, introduction de Pierre Vidal-Naquet, 1982.
Mathieu Dreyfus, *L'Affaire telle que je l'ai vécue*, Grasset, 1978.
« Dreyfusard ! ». Souvenirs de Mathieu Dreyfus, présenté par Robert Gauthier, Gallimard-Archives Julliard, 1965.
Daniel Halevy, *Regards sur l'Affaire Dreyfus*, rééd. Editions de Fallois, 1994.
Theodor Herzl, *L'Etat des Juifs*, introduction de Claude Klein, La Découverte, 1990.
Jean Jaurès, *Les Preuves*, 1898 ; rééd. Le Signe, préface de Madeleine Rebérioux, 1981.
Bernard Lazare, *Une erreur judiciaire. La vérité sur l'Affaire Dreyfus*, Stock, 1897 ; rééd. Allia, 1993.
Gérard Leroy, *Péguy entre l'ordre et la révolution*, Presses de la FNS, 1981.
Daniel Lindenberg et Pierre-André Meyer, *Lucien Herr. Le socialisme et son destin*, Calmann-Lév, 1975.
A. Pagès, *Emile Zola, un intellectuel dans l'Affaire*, Séguier, 1992.
M. Paléologue, *Journal de l'Affaire Dreyfus*, Plon, 1955.
Charles Péguy, *Notre Jeunesse*, 1913 ; rééd. Folio-Essais Gallimard, présenté par Jean Bastaire, 1993.
Joseph Reinach, *Histoire de l'Affaire Dreyfus*, 7 vol., Fasquelle, 1903-1929.
Auguste Scheurer-Kestner, *Mémoire d'un sénateur dreyfusard*, présenté par André Roumieux, Buech et Reumaux, Strasbourg, 1988.
Marcel Thomas, *Esterhazy ou l'envers de l'affaire Dreyfus*, Vernal/Philippe Lebaud, 1989.
Nelly Wilson, *Bernard Lazare*, Albin-Michel, 1985.

Ouvrages généraux

Maurice Baumont, *Aux sources de l'Affaire*, Les Productions de Paris, 1959.
Georges Bensoussan, *L'idéologie du rejet*, Manya, 1994.
Pierre Birnbaum, *Les Fous de la République. Histoire des Juifs d'Etat de Gambetta à Vichy*, Point, Le Seuil, 1994.
Pierre Birnbaum (dir.), *La France de l'Affaire Dreyfus*, Gallimard, 1994.
Patrice Boussel, *L'Affaire Dreyfus et la presse*, Kiosque, Armand-Colin, 1960.
Jean-Denis Bredin, *L'Affaire*, rééd. Fayard, 1994.
Michael Burns, Rural Society and French Politics. Boulangism and the Dreyfus Affair.1886-1900, Princeton University Press, 1984.
Michael Burns, *Histoire d'une famille française. Les Dreyfus*, Fayard, 1994.
Christophe Charles, *Naissance des intellectuels. 1880-1926*, Editions de Minuit, 1990.
Vincent Duclert, *L'Affaire Dreyfus*, La Découverte, 1994.
Nancy Fitch, « Mass Culture, Mass Parliamentary Politics and Modern Anti-Semitism : the Dreyfus Affair in Rural France », *American Historical Review*, février 1992.
Richard Griffith, *The Use of Abuse : the Polemics on the Dreyfus Affair and its Aftermath*, New York, 1991.
Paula Hyman, *De Dreyfus à Vichy*, Fayard, 1985.
Douglas Johnson, *France and the Dreyfus Affair*, Blawford Press, Londres, 1966.
Bertrand Joly, « L'Ecole des chartes et l'affaire Dreyfus », Bibliothèque de l'Ecole des chartes, 1989.
Géraldi Leroy (dir.), *Les Ecrivains et l'affaire Dreyfus*, PUF, 1983.

Ruth Malhotra, *Horror Galerie*, Harenberg, Dortmund, 1972.
Michael Marrus, *Les Juifs de France à l'époque de l'affaire Dreyfus*, Complexe, 1985.
Jean-Marie Mayeur, « Les catholiques deryfusards », *Revue historique*, avril-juin 1979.
Jean-Yves Mollier, *Le Scandale de Panamá*, Fayard, 1991.
Pascal Ory et Jean-François Sirinelli, *Les Intellectuels en France de l'Affaire Dreyfus à nos jours*, Armand-Colin, 1992.
Jean-Pierre Peter, « Dimensions de l'Affaire Dreyfus », *Annales ESC*, novembre-décembre 1961.
Jeanne Ponty-Lavieuville, *La France devant l'Affaire Dreyfus. Contribution à une histoire d'opinion publique. 1898-1899*, thèse de l'Ecole pratique des hautes études, 1971.
Madeleine Rebérioux, « Histoire, historiens et dreyfusisme », *Revue historique*, avril-juin 1979.
Jean-Pierre Rioux, *Nationalisme et conservatisme : la Ligue de la patrie française. 1899-1914*, Beauchesne, 1977.
Pierre Sorlin, *La Croix et les Juifs*, Grasset, 1967.
Zeev Sternhell, *Maurice Barrès et le nationalisme français*, Complexe, Bruxelles, 1985.
Zeev Sternhell, *La droite révolutionnaire. Les origines françaises du fascisme. 1885-1914*, Le Seuil.
Wilson Stephen, *Ideology and Experience : Antisemitism in France at the Time of the Dreyfus Affair*, Londres, Litman Library, 1982.
Marcel Thomas, *L'Affaire sans Dreyfus*, Fayard, 1961.
Robert Tombs (ed.), *Nationhood and Nationalism. From Boulangism to the Great War. 1889-1918*, Harper Collin Academic, New York, 1991.
Eugen Weber, *L'Action française*, Stock, 1964.
Winock Michel, *Nationalisme, antisémitisme et fascisme en France*, Point, Le Seuil, 1990.

Revues et catalogues

Norman Kleeblatt (ed.), *The Dreyfus Affair; Art, Truth and Justice*, University of California Press, Berkeley, 1987.
Mil Neuf Cent. Revue d'Histoire intellectuelle, « Comment sont-ils devenus dreyfusards ou antidreyfusards ? », 1994.
L'Histoire, « L'Affaire Dreyfus. Vérités et mensonges », janvier 1994.
L'Affaire Dreyfus et le tournant du siècle. 1894-1910, BDIC, La Découverte, 1994.
Archives juives, « Les Juifs et l'Affaire Dreyfus », 1er semestre 1994.

TABLE DES ILLUSTRATIONS

CHAPITRE III

sioniste, Bâle, 1897.

CHAPITRE IV

78 Portrait de Dreyfus dédicacé par lui à son frère Mathieu, photographie.
79 *Le Triomphe de la République*, groupe en bronze de M. Dalou, gravure *in L'Illustration*, 18 novembre 1899.
80h Lucien Herr et les «caïmans» de l'Ecole normale supérieure dans le jardin de la Nature, photographie, Paris, vers 1905.
80b *La revue blanche* par Toulouse-Lautrec, lithographie, 1895.
81h Charles Péguy dans la boutique des *Cahiers de la Quinzaine* en 1913, photographie de la série «Nos contemporains chez eux» par Dornac.
81b Emile Duclaux, vers 1875, photographie.
82g Affiche pour la réhabilitation du capitaine Dreyfus, 1899.
82d Ludovic Trarieux, photographie.
83h Membres de la Ligue des droits de l'homme et du citoyen, portraits *in Le Monde Illustré*, 28 janvier 1899 – de gauche à droite : Francis de Pressensé, Grimaux, Yves Guyot.
83b Sévérine, du journal féministe *La Fronde*, photographie de Gerschel *in Les Défenseurs de la justice*, brochure de 1899.
84h Affiche pour un grand meeting en faveur de la réhabilitation de Dreyfus, 1899.
84b Discours de Jaurès au Palais Bourbon, gravure *in L'Illustration*, 22 janvier 1898.
85 «Cavaignac-Saint Georges», dessin par Bobb *in La Silhouette*, 3 juillet 1898.
86 «La vérité en marche», caricature *in Le Grelot*, 24 avril 1899.
86-87 Lucie Dreyfus et ses enfants, Pierre et Jeanne, photographie de Nadar.
87 Me Demange au procès de Rennes, gravure d'après les dessins de Sabattier *in L'Illustration*, 16 septembre 1899.
88g Manifestation de joie à Paris à l'annonce de la deuxième condamnation de Dreyfus, gravure *in The Graphic*, 9 septembre 1899.
88d Picquart à Rennes, photographie *in L'Illustration*, 28 juillet1906.
89g Réhabilitation de Dreyfus en 1906 : après la remise des décorations, le commandant Dreyfus s'entretient avec le général Gillain et le commandant Targe dans la cour de l'Ecole militaire à Paris, carte postale.
89d Réhabilitation de Dreyfus : celui-ci s'entretient avec le commandant Targe, photographie.
90g Waldeck-Rousseau, photographie.
90m Le général Louis André, ministre de la guerre de 1901 à 1904, photographie.
90d Les deux compères, Dreyfus et André, carte postale vers 1906.
91h Le jeu de la casserole, dessin de Bruno, vers 1906.
91b Combes, carte postale de la série «le Bloc», dessinée par Rozé.
92 La fermeture des écoles congréganistes, manifestation à Levallois-Perret devant l'école des sœurs, gravure *in L'Illustration*, 2 août 1902.
92-93 L'inventaire à la cathédrale de Chartres, gravure in *L'Illustration*, 10 février 1906.
94 Députés et sénateurs quittent la salle du théâtre du Grand-Casino de Vichy, après avoir bradé la République, photographie, 1940.
95h Le procès Maurras, photographie *in Nuit et Jour*, 1er février 1945.
95g Du Paty de Clam, photographie.
95b Réunion à la tombe d'Edouard Drumont pour le centenaire de sa naissance, Paris, mai 1944.
96 Alfred et Mathieu Dreyfus, à Carpentras en 1899, photographie.

TÉMOIGNAGES ET DOCUMENTS

97 Hommage à Dreyfus, carreau émaillé, La Haye, 1899. Collection famille Dreyfus, Paris.
98g Dreyfus, sa femme et ses enfants, photographie, 1899.
98d Pierre et Jeanne Dreyfus, photographie. Collection famille Dreyfus, Paris (tous les documents suivants jusqu'à la page 103 appartiennent également à la famille Dreyfus)
99h Alfred et Lucie Dreyfus avec leurs enfants en compagnie des Valabrègue à Carpentras, 1899.
99b Paravent décoré de photographies de Pierre et Jeanne Dreyfus.
100h Alfred et Lucie Dreyfus en compagnie de Joseph Reinach à Carpentras, 1899.
100bg Alfred et Pierre Dreyfus à Carpentras, 1899.
100bd Alfred et Lucie Dreyfus en Suisse vers 1900.
101hg La famille Alfred Dreyfus avec les Naville vers 1900.
101dh Mathieu Dreyfus, photographie de Nadar.
101dm Alfred et Jeanne Dreyfus vers 1910.
101b Mariage de Marguerite Dreyfus en 1912.
102hg Alfred Dreyfus en permission pendant la guerre de 14.
102hm Pierre Dreyfus pendant la guerre de 14.
102hd Emile Dreyfus

INDEX

CRÉDITS PHOTOGRAPHIQUES

Léon Abramovicz, Paris 55d. Archives Larousse-Giraudon, Paris 53b, 131. Archives photographiques du Musée Pasteur 81b. T. Bertrand, Paris 15. Bibliothèque Nationale, Paris 13, 20-21, 26, 38b, 40-41, 44, 48, 49b,53h, 70-71, 71, 74b, 80b, 83b, 89g, 118, 125. Central Zionist Archiv, Jérusalem 77h. CAOM, Aix-en-Provence couv Ier plat, 38h. Centre Charles Péguy, Orléans 81h. Jean-Loup Charmet, Paris dos, 19, 23h, 32g, 58-59h, 62-63, 67h, 91h, 126. CIRIP-Alain Gesgon, Paris 22-23, 52, 72, 73. Coll. Sirot-Angel, Paris 2e plat, 5, 6-7, 8-9, 55g, 89d. Collection Louis Motrot, Saint-Malo 27. Collections particulières 1, 11, 37, 45, 58b, 68b, 121, 122. Collection particulière, Paris 75d. D.R. 16, 36, 40, 49h, 58-59b, 60, 66, 74h, 79, 84b, 86-87, 87, 88d, 90d, 92, 92-93, 113, 129. C. Kempf, Mulhouse 30. Edimedia, Paris 82g, 84h, 56d. Collection famille Dreyfus, Paris 28b, 28h, 30-31, 31, 32m, 33d, 33g, 42-43, 57b, 76, 96, 97, 98d, 98g, 99h, 99b, 100h, 100bg, 100bd, 101hg, 101dh, 101dm, 101b, 102hg, 102hm, 102hd, 102b, 103h, 103bg, 103bd, 107, 108, 111, 116. Fondation Nationale de Sciences Politiques, Paris 80h. Gerard Silvain, Paris 29, 32d, 77d, 77g. Keystone-Sygma 94. Leo Baeck Institute, New York 104, 127. Léonard de Selva-Tapabor, Paris 20b, 22, 24, 25h, 57h, 95h. *Libération* 14. Musée d'Histoire Contemporaine, Paris 12, 2Oh, 50, 69b, 75g, 114. Musée National de l'Education, Rouen 18-19. Musée Emile Zola, Médan 61. Réunion des Musées Nationaux, Paris 16-17. Réunion des Musées Nationaux/Spadem 1994 64-65. Roger-Viollet, Paris 2-3, 4, 39b, 56g, 90g, 90m, 95b, 95g, 106-107. Photothèque des Musées de la Ville de Paris 51, 69h. Jean Vigne 25b, 34, 35d, 35g, 39h, 42, 46, 47, 54, 63, 67b, 68h, 70, 78, 82d, 85, 86, 88g, 91b, 105, 119.

REMERCIEMENTS

Les éditions Gallimard Jeunesse remercient : à New York, Franck Mecklenburg et Renata Stein, Leo Baeck Institute; Alexandra Rose, iconographe; Dominick Pilla, New York Library; en France : les éditions Albin Michel, Grasset, La Découverte, le musée de l'Education, Rouen.
L'éditeur a été très touché par la disponibilité dont a fait preuve la famille Dreyfus et par la confiance qu'elle a bien voulu lui témoigner.

ÉDITION ET FABRICATION

DÉCOUVERTES GALLIMARD
DIRECTION : Pierre Marchand et Elisabeth de Farcy.
GRAPHISME : Alain Gouessant. FABRICATION : Violaine Grare. PROMOTION : Valérie Tolstoï.
L'AFFAIRE DREYFUS, LA RÉPUBLIQUE EN PÉRIL EDITION : Anne Lemaire. MAQUETTE : Catherine Letroquier (corpus) et Dominique Guillaumin (Témoignages et Documents).
ICONOGRAPHIE : Caterina d'Agostino. LECTURE-CORRECTION : Pierre Granet et François Boisivon.
PHOTOGRAVURE : FNG. MONTAGE PAO : Paragramme et Dominique Guillaumin.

Table des matières